Gabriel LAPOINTE

Le Vol du camion de la poste

LES GRANDS PROCÈS DE L'HISTOIRE DU QUÉBEC

PRÉFACE DE ROGER D LANDRY

ÉDITIONS SEDES

Données de catalogage avant publication (Canada)

Lapointe, Gabriel

Le vol du camion de la poste : les grands procès
de l'histoire du Québec

ISBN 2-921140-12-8

1. Procès - Québec (Province). I. Titre.

KEQ1124.L36 1991   345.714'02   C91-096124-7

Couverture
•Conception graphique:
PATRICE DESBIENS

©Les Éditions Sedes Ltée
755, rue Robitaille
Saint-Lambert, Québec, J4P 1C5

Canada 1991
Dépôt légal : 4 ième trimestre 1991
Bibliothèque nationale du Québec
Bibliothèque nationale du Canada
ISBN 2-921140-12-8

Avertissement

Tout droit de reproduction et de traduction, même partielle, est strictement interdit sans autorisation de l'auteur et de l'éditeur.

Dédicace

-À mon grand-père, connu sous le nom du Père Sam, qui durant les années 20 et 30, était un des meilleurs raconteurs de la région du bas du fleuve.

-À mon père qui m'a donné le goût d'écrire.

-À ma mère qui m'a donné le goût de chanter.

-À Jacqueline, ma meilleure amie et aussi ma compagne de vie depuis 25 ans.

-À Louise et Pierre que j'ai un tant soit peu négligés en bas âge -- à l'heure du dodo, ils me demandaient souvent: "Papa, conte-moi une cause" -- mais que j'ai retrouvés à l'âge adulte.

-À mes cinq petits-enfants.

-À mes frères et soeurs qui ont été pour moi une source d'appui et d'inspiration.

-Aux juges et aux confrères qui ont toujours fait preuve de courtoisie à mon endroit.

-Aux policiers qui m'ont toujours porté un grand respect même s'ils tenaient à faire la distinction entre "votre milieu" et "notre" milieu.

-Au sergent-détective Demonceau et à mes deux collaboratrices immédiates Josée D'Aoust et Diane Blanchette pour leur patience et leur souplesse à mon endroit.

-À Roger D. pour m'avoir convaincu de réaliser mon projet.

-À Coco et Chanel qui m'ont démontré, sans possibilité de preuve contraire, que le chien est le meilleur ami de l'homme.

Notes sur l'auteur

Né à Price (Québec, CANADA) le 22 novembre 1928, bachelier ès-arts de l'Université Laval en 1948, licencié en Droit de l'Université Laval en 1951, admis au Barreau de la province de Québec en 1952, Master in Business Administration de l'Université Harvard en 1956.

Il pratique le Droit à Montréal de juin 1958 à mai 1966 comme membre de l'étude "Colas & Lapointe", de mai 1966 à septembre 1972 comme associé de l'étude "Deschênes, de Grandpré, Colas, Godin, Coderre & Lapointe", et de septembre 1972 à ce jour comme associé de l'étude "Lapointe, Schachter, Champagne & Talbot".

En novembre 1961, substitut du Procureur général pour le district de Montréal et de janvier 1965 à juillet 1966, substitut en chef du Procureur général pour le district de Montréal.

De juillet 1952 à juillet 1953, il fait partie de l'armée canadienne comme lieutenant d'artillerie au First Light Battery (Para.), Royal Canadian Artillery.

Capitaine, Bureau du Juge Avocat Général, Ottawa.

De juillet 1956 à juin 1958, assistant du président de la Canadian Aviation Electronics Limited à Montréal.

De septembre 1966 à avril 1968, président conjoint de la Commission politique du Parti Libéral du Canada.

En 1970, président du Club de Réforme de Montréal Inc.

En septembre 1985, président du Comité des Finances du Parti Libéral du Canada (Québec).

Membre du Conseil d'administration des compagnies suivantes:

- -Produits & Services (Montréal) Inc.
- -Les Produits Généraux de la Construction Ltée
- -J.P. Lessard Inc.
- -Rougier Inc.
- -Rodeca Inc.
- -Welcker-Lyster Ltée
- -Institut Rosell Inc.
- -Laboratoires du Dyspné-Inhal Inc.
- -Cie Les Industries Pharmaceutiques Ltée
- -Desbergers Ltée
- -Laboratoires Nadeau Ltée

Membre de la corporation de l'hôpital Maisonneuve-Rosemont.
Conseiller de la Reine en septembre 1969.
Fellow of the American College of Trial Lawyers en 1984.
Membre du Barreau du Québec.
Membre de l'Association du Barreau Canadien.

Activités spéciales:

- -membre du Conseil du Jeune Barreau de Montréal en 1960.
- -membre du Conseil du Barreau de Montréal de mai 1985 à avril 1986.
- -Bâtonnier du Barreau de Montréal pour l'année 1986/87.

Notes additionnelles

-Son père, le major J. Arthur Lapointe, a représenté la circonscription de Matapédia-Matane au Parlement du Canada de 1935 à 1945.

-De janvier à avril 1968, il était le lieutenant du Québec de l'organisation Mitchell Sharp, candidat au leadership du Parti Libéral du Canada.

-De juillet 1969 à janvier 1970, il était l'organisateur en chef de Claude Wagner, candidat au leadership du Parti Libéral du Québec.

Préface

J'ai connu Me Gabriel Lapointe au tout début des années '60. Nous poursuivions alors des carrières qui étaient, en quelque sorte et par plusieurs aspects, pratiquement parallèles. Il était procureur de la couronne pour le district judiciaire de Montréal, et j'étais responsable des services Transports et Communications de la Sûreté du Québec.

La Justice et la Police étant faites pour s'entendre -- ou du moins devrait-il en être ainsi dans la plus souhaitable des situations possibles -- nous nous sommes bien entendus, Me Lapointe et moi, nous retrouvant à l'occasion pour échanger nos impressions, nos anecdotes.

Ces contacts se firent plus fréquents et plus étroits avec la fondation du Club des 15, groupement d'amis, oeuvrant dans divers domaines de la société, se réunissant une fois par semaine autour d'un bon déjeuner et d'une conversation animée qui ne comporte qu'un interdit: celui de parler affaires.

En l'une de ces occasions récentes, la pièce de théâtre "La nuit du 16 janvier" qui se jouait à Montréal vint sur le tapis. Et Me Lapointe me confia qu'il avait en tête un souvenir professionnel dont le sujet se prêterait peut-être à une pièce ou à un scénario de film. Projet auquel je promis toute ma collaboration, après l'avoir encouragé à le mettre en réalisation.

Je n'en entendis plus parler jusqu'à ce que je reçoive le manuscrit de cet ouvrage.

«Tu m'as laissé tomber?», ai-je dit à mon ami Gabriel. «Pas du tout», me répondit-il avec cette astuce oratoire qui lui avait valu tant de succès dans les causes qu'il avait menées. «Tu m'avais déjà donné l'idée. Je n'ai eu qu'à transcrire les détails de cette expérience...»

Cette expérience, Gabriel Lapointe l'avait vécue à la suite du vol d'un camion postal survenu le 31 mars 1964, dans le court trajet entre le bureau principal de Postes Canada, rue St-Antoine, et la gare Centrale. Dans ce camion se trouvaient 25 paquets d'argent, tout près de 1 500 000 $.

Le procès des accusés fut passionnant. Il l'est encore, par les noms des personnages qui y ont défilé et dont certains ont refait surface dans l'actualité récente. Il l'est aussi -- et c'est ce qu'on lira ici -- par le compte rendu qu'en fait Me Gabriel Lapointe, à partir du moment où le sergent-détective Beaupré vint lui confier ce dossier et jusqu'à la décision finale de la Cour suprême cinq années plus tard.

Roger D. Landry
Président et éditeur
La Presse.

Avant-Propos

À l'instar de Marcel Proust et sans autre prétention, je m'en excuse déjà auprès du lecteur, j'ai le souci du détail et avec l'âge, celui de la nuance.

"Toi, Lapointe, tu es né sous une bonne étoile." C'est ce que m'avait dit Jacques Trahan.[1] Je commence à le croire. Je ne l'ai jamais réalisé autant que le 22 novembre 1961 alors que j'étais nommé procureur de la couronne pour le district judiciaire de Montréal. C'était d'ailleurs le jour de mon trente-troisième anniversaire de naissance, le début de ma vie publique.

En ce temps-là, les procureurs de la couronne n'étaient pas permanents comme aujourd'hui et les nominations à ce poste étaient, en partie, politiques. Un procureur à temps partiel avait son bureau privé et consacrait à peu près la moitié de son temps aux dossiers de poursuite criminelle qui lui étaient confiés par le procureur chef ou son adjoint. Lors d'un changement de gouvernement, tous les procureurs de la couronne qui avaient une affiliation politique avec le parti défait étaient remplacés systématiquement par un nouveau groupe de procureurs de la couronne affiliés politiquement au parti élu.

J'ai toujours été libéral. J'ai participé à la première élection de mon père en 1935 alors qu'il avait été élu député libéral de la circonscription fédérale de Matapédia-Matane. Même chose en 1940. Après mes études de droit, j'ai fait toute la campagne fédérale dans le comté de Bellechasse aux côtés de Philippe Picard, ancien secrétaire d'Ernest Lapointe et devenu plus tard ambassadeur du Canada en Argentine. Par la suite, j'ai

---

(1)Devenu par la suite juge à la cour des sessions de la paix; président de la Commission de contrôle des permis d'alcool du Québec; de retour à la cour des sessions de la paix, maintenant en pratique privée à Montréal.

participé aux élections générales fédérales de juin 1957, aux côtés du candidat libéral, J. Armand Ménard, dans le comté de St-Jean-Iberville contre l'indépendant Yvon Dupuis ainsi qu'aux élections générales provinciales de juin 1960, alors que l'équipe de Jean Lesage avait défait l'Union Nationale dirigée par Antonio Barrette. Comme membre du comité des orateurs dirigé par Édouard Martel,[1] j'avais été appelé à prononcer de retentissants discours dans au moins une douzaine de comtés de la région de Montréal en plus de faire partie du comité de surveillance durant toute la journée de l'élection.

Quelle ne fut pas ma surprise de constater, vers la mi-juillet, à mon retour de vacances à Wildwood, que mon nom n'apparaissait pas sur la liste des procureurs nouvellement nommés. J'ai dès lors appris qu'en politique, il faut être présent car autrement, on est facilement oublié. On m'a alors promis qu'à la première occasion, je serais nommé et c'est ce qui s'est produit le 22 novembre 1961.

Moi qui jusque-là avais aspiré à la pratique du droit corporatif, financier et fiscal, j'étais loin de prévoir jusqu'où cette aventure allait me conduire. J'avais toujours eu, quand même, une prédilection pour le droit criminel puisque, pour payer mes études de droit, j'avais été responsable de la chronique judiciaire pour *l'Événement*.[2]

Comme procureur, mon apprentissage fut rapide. De ma toute première cause de recel d'une boîte de beurre par un épicier de Montréal-Nord, je me suis rapidement retrouvé tant devant un juge seul qu'aux assises dans des causes de langue anglaise et de langue française et qui devenaient de plus en plus complexes.

À l'occasion de causes dites spéciales, les policiers de Montréal ou de la "Police Provinciale" pouvaient s'adresser

(1)Devenu par la suite juge à la cour supérieure de Montréal.
(2)Journal de Québec.

directement au procureur de leur choix pour lui confier leur dossier. En 1962, le Procureur général, Georges-Émile Lapalme, avait décidé de faire une tentative en nommant cinq procureurs permanents. Les premiers ainsi nommés furent, par ordre alphabétique: Jacques Bellemarre,[1] Rhéal Brunet,[2] René Drouin,[3] Jacques Ducros[4] et Gérard Laganière.[5] Jean-Guy Boilard[6] fut aussi nommé, mais quelque temps plus tard. Il est facile de comprendre que ces procureurs devinrent en peu de temps très compétents et comme ils étaient toujours au Palais, ils étaient naturellement les préférés des policiers et furent rapidement submergés.

En une occasion mémorable, je suis appelé à remplacer, à la dernière minute, un procureur permanent retenu ailleurs, dans une affaire de la Reine contre JMJ.[7]

J'examine le dossier, j'endosse ma toge et je me dirige vers la salle d'audience pour y retrouver à la porte les deux policiers responsables, le sergent-détective Beaupré et le sergent-détective Régimbald. Quand je leur annonce que le procureur de leur choix n'est pas disponible et que je le remplace, j'entends le sergent-détective Beaupré proférer une série de jurons que je n'ose pas répéter ici. Je fais mine

---

(1) Devenu par la suite doyen de la Faculté de Droit de l'Université de Montréal; maintenant en pratique privée à Montréal.

(2) Devenu par la suite juge en chef adjoint de la cour des sessions de la paix et maintenant juge coordonnateur de la Chambre criminelle de la cour du Québec pour le district judiciaire de Longueuil.

(3) Devenu par la suite juge de paix et maintenant décédé.

(4) Devenu par la suite juge à la cour supérieure de Montréal.

(5) Devenu par la suite juge à la cour des sessions de la paix, muté à la cour provinciale et maintenant à la retraite.

(6) Devenu par la suite juge à la cour supérieure de Montréal.

(7) Par respect pour cet individu qui est maintenant réhabilité et avec qui j'ai eu récemment le plaisir de voyager dans le taxi qu'il conduisait, je pense qu'il est dans l'ordre que je taise son nom.

d'ignorer sa réaction et j'entre dans la Cour. Il s'agit d'une affaire de vol à main armée dans une banque et pour laquelle l'accusé avait été appréhendé longtemps après, à Vancouver.

Le procès se termine, l'accusé est trouvé coupable et la sentence est reportée à une date ultérieure. Dans les jours qui précèdent la date de la sentence, je convoque les deux policiers à mon bureau pour obtenir les renseignements d'usage: feuille de route (antécédents judiciaires), mode de vie de l'accusé, détails concernant sa famille, etc.

Je fais les représentations et l'accusé est condamné à vingt ans de pénitencier. La sentence est sévère mais dans ce cas, bien méritée.

Quelques mois plus tard, le sergent-détective Beaupré venait frapper à ma porte avec le dossier du vol du camion postal.

Me Gabriel Lapointe, c.r.

Chapitre 1

L'opération

Les transferts d'argent d'une banque à une autre ou d'une succursale à une autre ont toujours suscité la convoitise des voleurs. Quand je parle de voleurs, je fais allusion à l'élite du monde interlope. Peut-être qu'aujourd'hui ce sont les trafiquants de drogue qui ont le haut du pavé, mais à l'époque et pendant longtemps, les princes de ce milieu-là étaient les voleurs à main armée. Ceux qui restent calmes et qui n'utilisent que la force nécessaire pour arriver à leurs fins et qui ne commettent aucune violence inutile. À l'intérieur des pénitenciers -- ils finissent toujours par se faire prendre -- et peut-être parce qu'ils ont réussi à mettre la main sur de gros sous, ils forment la classe dirigeante de la population carcérale. Mais tous rêvent d'une grosse "job" qui serait la dernière et qui leur permettrait de prendre leur retraite et d'aller vivre dans le sud des États-Unis ou en Amérique du Sud pour se la couler douce, se donner une nouvelle identité, fonder un foyer, ouvrir un petit commerce, ne plus être traqués et ne plus avoir d'ennuis avec la police.

À 19 h 30 précises, le 31 mars 1964, le camion quitte le bureau principal du ministère des Postes à Montréal, situé sur la rue St-Antoine, juste à l'est de Windsor, pour se rendre à la gare Centrale. Lionel Doutre, âgé de trente-quatre ans, est au volant et Fernando Lemieux, âgé de cinquante-deux ans,

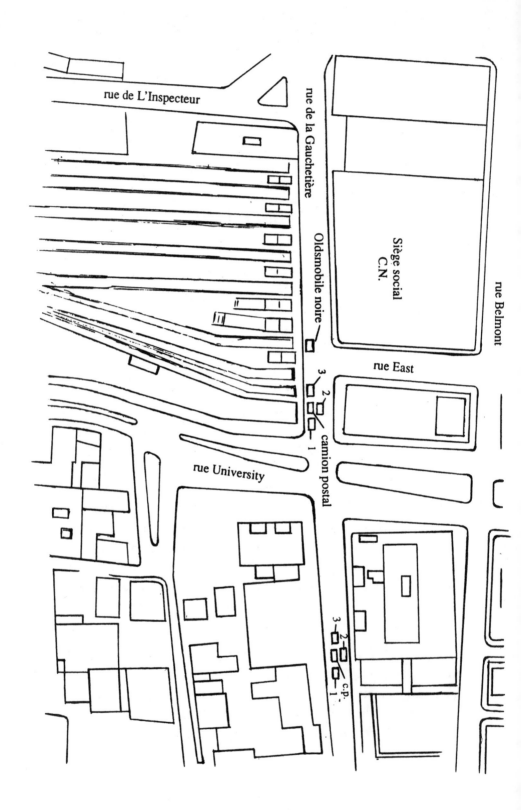

occupe le siège du passager. Ce dernier est commis ambulant et ne prend place à bord d'un véhicule que si on y transporte du courrier "enregistré". Pour des raisons de sécurité, le chauffeur ignore le contenu de ce courrier. Pour sa part, le passager qui a signé un formulaire à cet effet sait très bien qu'il s'agit d'argent. Encore pour des raisons de sécurité, il en ignore le montant.

Q. Quelle était votre occupation exactement ou quel était votre rôle à vous à bord de ce camion-là, Monsieur Lemieux?

R. J'étais allé prendre charge des matières enregistrées au Département des Postes, l'argent, entre autres, que j'apportais à mon train.

Q. Si je comprends bien, vous saviez qu'à bord du camion en question, il y avait des colis d'argent?

R. Oui.

Q. Est-ce que vous aviez vous-même signé?

R. J'avais signé pour ces vingt-cinq paquets d'argent.

Le trajet le plus simple pour le véhicule serait de se diriger d'ouest en est sur la rue St-Antoine, de traverser d'abord la rue de la Cathédrale, ensuite la rue de l'Inspecteur et d'effectuer un virage à gauche pour pénétrer à l'intérieur de la gare et atteindre le service des Messageries du CN. Depuis quelques mois cependant, à cause d'un certain nombre d'accidents causés par ces virages à gauche, des directives émises à la demande du service de Police obligent les chauffeurs à faire un détour important, ce qui rend moins difficile l'interception du véhicule.

À l'aide du croquis, on peut suivre le trajet parcouru ce soir-là. Donc, virage à gauche sur de l'Inspecteur (il y a un feu de circulation à cet endroit), virage à droite sur Lagauchetière en direction de la rue University où là, il doit y avoir un virage à droite. Mais avant d'atteindre la rue University, Lionel Doutre aperçoit devant lui un camion que nous allons appeler le camion n° I, qui est immobilisé et qui, à l'approche du camion de la poste, démarre subitement pour s'arrêter au feu de circulation au coin d'University. Arrivé à cet endroit, Doutre arrête lui aussi son véhicule, juste derrière le camion n° I.

Un individu masqué, qui est dans la rue, ouvre la portière droite du côté de Fernando Lemieux, braque une arme sur lui, lui dit "Tasse-toi" et se glisse sur la banquette. Simultanément, un autre camion que nous appellerons le camion n° II, de marque Métro avec portes coulissantes, souvent appelé camion de laitier, arrive du côté du chauffeur. Dans la porte, il y a un homme debout avec un revolver. Il est masqué lui aussi.

R. Le gars à l'intérieur nous a ordonné de continuer sur la rue Lagauchetière: la lumière a changé, nous avons traversé la rue University.

Q. Qu'est-ce qui est arrivé du camion n° II?

R. Il a toujours suivi dans le côté de notre camion. Nous avons traversé la rue University.

Ce que messieurs Doutre et Lemieux ignorent, c'est qu'il y a un troisième camion qui se tient à l'arrière et qui complète l'encerclement. Ce qu'ils ignorent également, c'est que derrière le camion n° III, se trouve une voiture de marque Oldsmobile 98, de couleur noire. De quoi se servir pour s'esquiver en cas de coup dur.

Lionel Doutre poursuit:

R. Le camion d'en avant est arrêté devant, là, on nous a ordonné de transférer de camion, de mon côté, du chauffeur; ils ont ouvert la porte, moi, m'ont ordonné de débarquer; je suis débarqué; m'ont pris dans la porte, m'ont garroché dans le camion Métro.

Là, on m'a mis un sac sur la tête.

On m'avait mis une menotte.

Oui, mon confrère, monsieur Lemieux, est rentré immédiatement après moi, en plein ventre, lequel on a attaché avec moi, là, le camion a parti. Nous avons roulé un certain temps et puis le camion, je peux pas dire combien de temps, je le sais pas. Le camion est arrêté; moi, je suis venu à bout de me démancher les jambes, parce qu'ils nous avaient attaché les jambes avec la corde; j'ai enlevé le sac ainsi que celui de monsieur Lemieux; nous étions sur la rue Concord dans un terrain de stationnement. Nous sommes sortis alerter la police.

Un témoin oculaire à être identifié subséquemment nous indique la suite des événements.

R. On les a attachés avec des menottes, de la corde. On leur a dit de ne pas grouiller qu'on ne leur fera pas aucun mal.

Q. Est-ce que vous leur avez fait autre chose à part ça que de leur mettre les menottes et de la corde?

R. On leur a mis des taies d'oreiller sur la tête.

Q. Et là, qu'est-ce qui s'est passé; qu'est-ce que vous avez fait?

R. Là, après on a fait un bout et moi et un autre, on a débarqué du camion.

Q. Et qu'est-ce que vous avez fait?

R. Là, le chauffeur de la Oldsmobile noire est arrivé et on a embarqué avec lui.

Q. Alors vous vous êtes rendus dans la ruelle de la rue Shuter?[1]

---

(1)Même secteur que la rue Concord dont parle Lionel Doutre.

R. Oui.

Q. Qu'est-ce qui s'est passé rendus là?

R. Là, le camion n° III est arrivé. Il a collé le sien au côté du camion postal et là toute la "gang" on a pris les poches qui étaient dans le camion postal et on les a mises dans le camion n° III.

Q. Maintenant quand vous parlez du camion postal, est-ce que quelque chose de particulier vous a frappé à l'arrière du camion postal?

R. Oui, il y avait des chaînes comme en carreaux là et on a eu de la misère à débarrer ça, ces chaînes-là.

(...)

R. Là, un coup que les poches de malle ont été dans le camion n° III, lui, il s'en est allé et nous autres on a rembarqué dans le Oldsmobile, on a fait un bout, on a débarqué, on a pris un taxi, on s'est rendu dans la ruelle entre la deuxième et troisième avenue près de St-Zotique.

(...)

R. Là, le camion n° III est arrivé et on a déchargé toutes les poches de malle dans le garage.

Q. De quelle façon avez-vous placé le camion n° III, par rapport au garage?

R. Il a été reculé et collé, pas tellement proche du garage, mais le plus proche possible.

Q. Et là, vous avez déchargé les poches du camion et vous les avez placées à l'intérieur du garage?

R. En faisant une chaîne là.

Q. Et là, après avoir déchargé les sacs de malle, qu'est-ce que vous avez fait?

R. On les a mis dans le garage, nous autres, on a resté là, moi et deux autres; les autres avaient quelque chose à aller faire, c'était d'aller serrer le camion n° III, d'autres aller serrer le Oldsmobile dans le garage; là, nous autres moi et un autre, on s'est mis à couper les poches de malle avec des couteaux à prélart, à les ouvrir.

Q. Alors, est-ce que vous avez mis de côté ou est-ce que vous avez trié une certaine partie des effets contenus dans les sacs de malle?

R. On a tout vidé les sacs de malle et les petites poches d'argent, on les mettait sur le bord du mur.

Q. Qu'est-ce que vous avez fait, ensuite qu'est-ce qui s'est passé?

R. Les autres gars sont tous arrivés, ils nous ont donné un coup de main excepté les deux gars du camion de laitier (n° II) qui ne sont pas venus. Un coup que tout a été vidé c'est là qu'il a été question d'aller chez la grande Andrée pour faire le "split".

(...)

R. Oui, mais on l'a bien avertie que si elle savait quelque chose elle serait enterrée...

(...)

R. Le chauffeur du camion n° I est arrivé avec son auto. On a pris toutes les poches d'argent, on les a mises dans une poche de malle, une grosse poche de malle, la poche a été mise dans sa valise (...)

Q. Une fois rendus chez la grande Andrée, lorsque vous êtes arrivés, quelles étaient les personnes qui étaient déjà rendues sur les lieux?

R. Là, on a entré dans une petite chambre, ils appelaient cela la petite chambre de couture. Là, il y avait toute la bande

M. Fernando Lemieux, commis ambulant des
postes, raconte son aventure aux policiers.

La «Grande Andrée» a été envoyée comme les autres à son
procès. Elle aurait reçu 2 000 $ pour la location de son
appartement où le partage de l'argent s'est fait.

excepté les deux gars du camion n° II qui n'étaient pas là. Les sacs d'argent avaient commencé à être ouverts, il y avait de l'argent sur la table, il y en avait à terre. C'est là que le "split" a commencé.

Q. De quelle façon procédait-il?

R. Il sortait un paquet d'argent, il prenait un numéro d'en dessous, il prenait un numéro, mettons celui d'en dessous et celui du dessus, je ne sais pas comment il amanchait son affaire, ça lui donnait le montant pas mal exact.[1] Là, mettons que c'était cinq mille, il mettait dix cinq mille sur la table, autour de la table.

Q. Alors, le partage s'est fait en dix parts? Est-ce exact?

R. C'est exact.

Q. Vous étiez neuf (9), pouvez-vous dire pour qui était la dixième part?

R. Pour le gars qui avait donné l'information du vol.

Q. L'information du vol?

R. Oui, Votre Honneur.

Q. L'information quant à quoi?

R. Je ne comprends pas.

Q. L'informateur du vol, c'est un gars de quel endroit?

R. Un gars qui connaissait le système du bureau de poste...

(...)

Q. Est-ce que je dois comprendre que pendant que le partage se faisait, à un moment donné, un sergent de police est arrivé?

R. Exact.

Q. Pourriez-vous nous dire si quelqu'un lui avait téléphoné?

---

(1)Les billets neufs sont numérotés consécutivement.

R. Un du groupe.

Q. Il a fait un téléphone et le sergent est arrivé?

R. C'est exact.

Q. Et l'un du groupe a quitté avec le sergent?

R. C'est exact. Il transportait quatre parts. La sienne, celle des deux gars du camion n° II et celle du gars du tuyau.

Le rôle du sergent consistait à assurer la sécurité des participants qui regagnaient leur domicile avec leur part du butin.

Le croquis apparaissant en page 22 devrait démontrer au lecteur l'aspect génial de l'opération. Il n'est donc pas étonnant qu'elle se soit soldée par un succès... temporaire.

Chapitre 2

L'enquête policière

Le lendemain, 1er avril, les sergents Jean Beaupré et Maurice Demonceau sont affectés à l'enquête. Beaupré,[1] une armoire à glace de plus de six pieds et de plus de deux cent vingt-cinq livres et Demonceau, cinq pieds huit pouces, cent soixante-dix livres, sont deux des meilleurs sergents-détectives affectés au Bureau des enquêtes criminelles de la Police de Montréal avant la C.U.M.

Compte tenu de la nature de l'opération, est-il nécessaire de préciser qu'il n'y a aucun indice. Certes alerté par des voisins, Demonceau se rend dans une ruelle au sud de la rue St-Grégoire, à l'arrière de la rue Mentana, pour y trouver, dit-il, des sacs de "malle". Trois grands et une vingtaine de petits. Rien d'autre.

Le 8 avril, publication par le journal *La Presse* d'un certain nombre de billets de banque ayant fait l'objet du vol. Le texte se lit comme suit:

> *"Le vol des sacs postaux*
> *Numéros d'une partie des billets volés*
> *La police de Montréal publie aujourd'hui une liste de numéros de billets de banque, lesquels ont été dérobés le 31 mars dernier, à bord d'un camion postal, au cours d'un vol à main armée survenu à l'angle des rues Lagauchetière et University.*
> *La police demande au public de communiquer tous*

(1)Celui dont nous avons parlé dans la préface.

les renseignements concernant ces dénominations au Bureau des enquêtes criminelles à 873-3187.

Voici maintenant la liste des dénominations, avec les différents numéros de série:"[1]

Nous savons que toutes les banques ont un service interne de sécurité. La presque totalité des employés de ce service sont d'anciens policiers. Et c'est précisément dans un dossier de ce genre qu'ils peuvent être très utiles. Cependant, comme les transactions bancaires d'un individu sont confidentielles, il est impossible de savoir exactement de qui les enquêteurs obtiennent leurs renseignements.

Par ailleurs, certains policiers haut gradés possèdent un réseau "d'informateurs". Une "informatrice", lors d'une visite à une copine, observe qu'on y fait sécher de nombreux billets de banque sur des cordes à linge improvisées à l'intérieur de l'appartement. Sans doute parce que les billets avaient été mouillés durant l'entreposage. Si bien que dès le 15 avril, le policier Demonceau obtient un mandat de perquisition à l'encontre d'un appartement dans une conciergerie située sur la rue Louis-Hémon. Il y trouve un individu du nom de Pierre Talon[2] et sa conjointe, Thérèse Deslauriers. Talon est alors mis en état d'arrestation et conduit au quartier général de la Sûreté de Montréal.

Sans perdre de temps, on se retrouve dans une salle de conférence ou d'interrogatoire et après les civilités d'usage et l'hospitalité de la maison, -- café, cendriers, cigarettes et allumettes -- l'enquêteur Beaupré pose la question: "Qu'est-ce que tu peux nous dire au sujet du vol du camion postal?" Et du même souffle, il ajoute: "Tu sais qu'il y a une récompense de 50 000 $."

---

(1)Trop longue pour être reproduite ici.

(2)Nous aurons l'occasion de connaître très intimement ce personnage dans les pages qui vont suivre.

Quelques regards furtifs, quelques hésitations et v'lan, la 6/49: Pierre Talon de répondre: "J'étais pas sur la job, mais je sais qui."

Beaupré et Demonceau, pouvant à peine contenir leurs émotions, se regardent négligemment en apparence et Demonceau (le scripteur) d'ajouter: "Tu vas nous raconter ça, à partir du commencement."

Quelques jours plus tard, le 19 avril, Pierre Talon signe une déclaration en présence des lieutenants-détectives Félix Jean et Jean-Louis Langlois. Il persiste à nier sa participation à l'opération mais reconnaît qu'il a reçu une offre de prendre part à une "grosse job", qu'il a été appelé à déposer de l'argent dans des coffrets de sûreté et qu'il a rencontré les "gars" qui auraient été dans le coup. Il nomme les individus et les identifie sur des photos officielles du Service de l'identité judiciaire. Par ordre alphabétique, il s'agit de Maurice Arbic, Benoît Doucet, Gaston Lavoie, Gilles Lebrun, René Leduc, Wilfrid Leclerc, André Paquette et Henri Samson.

Le lendemain 20 avril, le sergent-détective Demonceau obtient du coroner de Montréal un mandat d'arrestation contre Pierre Talon, mais en regard du meurtre de Michel Dudas, portier au Casa Loma et assassiné le 6 janvier de la même année. C'est un prétexte que Pierre Talon pourra donner à ses complices pour expliquer les raisons de sa détention. Plus tard dans la journée, Pierre Talon répète sous serment, devant la Commission des valeurs mobilières du Québec,[1] la déposition faite la veille devant messieurs Jean et Langlois.

---

(1)Comme parmi les objets volés, il se trouvait des obligations ou des bons, la CVMQ avait aussi le pouvoir d'enquêter et d'interroger des témoins. L'un des avantages pour toutes les parties en cause est que la déposition est prise sous serment et en présence d'un sténographe. Les avocats de la poursuite et de la défense de même que le président du tribunal peuvent ensuite référer à la transcription.

Le 21 avril, Pierre Talon est libéré. Comme on l'a vu, il n'est aucunement impliqué dans l'affaire Dudas. Cependant, les enquêteurs sont loin d'être convaincus qu'il n'a pas participé au vol. Mais un complice en liberté pourrait valoir son pesant d'or et permettre de compléter la preuve.

L'enquête est au point mort. Il y a bien une perquisition par le sergent-détective Marcel Allard à l'encontre du coffret numéro 272, au nom de Gaston Lavoie à la succursale de la Banque Royale du Canada, située au 360, rue Ste-Catherine est, où on découvre trois enveloppes blanches. L'une contient 50 billets de 100 $, une deuxième contient 50 billets de 100 $ et la troisième, 13 billets de 50 $, pour un grand total de 10 650 $. Mais Gaston Lavoie reste introuvable.

Il y a bien aussi une visite du lieutenant-détective Félix Jean à Pierre Talon, à son appartement de la rue Louis-Hémon en début de mai. Mais cette rencontre ne produit rien de neuf.

Le 6 juin, Pierre Talon est de nouveau arrêté mais cette fois-ci, à son chalet situé sur les bords du Lac Archambault, à St-Donat. Et dans un bidon métallique enfoui dans le sol à une courte distance de son chalet, on y découvre une somme d'environ 35 500 $ en billets de banque.

À compter de ce moment-là, les événements se précipitent.

Dès le lendemain, en compagnie de Pierre Talon, les policiers font la visite de quatre garages situés dans le quartier Rosemont et dans l'un d'eux, à l'arrière du 6681, 2e avenue, on découvre une Oldsmobile noire, une caisse d'armes et des plaques d'enregistrement.

Le contenu de la caisse d'armes apparaît en page suivante.

Date: June 7th 1964
Sir,
Following is a list of articles, seized at 11.00 A.M. at 6681-2nd. ave. Rosemont, in the garage, by Capt. Det. M. Maurice - Lt. Det. F. Jean - M. Demonceau - G. St-Martin.

1 - Bren gun	Ser-5T1605
1 - Automatic Army rifle Cat. 7.62	" 1110
1 - G.B. Army rifle, stock & barrel eff.	" 47357
1 - S & W. 38 Cal. revolver, black	" 932642
1 - S & W. 38 Cal. revolver, Nickle plated	" ?
1 - P-38 Walter	" 287732
1 - Enfield 38 Cal. revolver	" 34881
1 - 357 Magnum revolver S & W.	" L9921
1 - Semi-Automatic side arm, Cal 7.65	" 55240

1 - Empty handcuff box
1 - Box of circular saw blades
1 - Pr. red rubber gloves
1 - Floor scraper
1 - Steel tape
1 - Bag of assorted lock parts
1 - Red - White & blue tuque
1 - Drill kit
10 - Boxes assorted Ammo
1 - Oil can (gun lubrication)
1 - Rubberised windbreaker (prison property)
1 - Blow torch
1 - Steel cable
1 - Rope
1 - Hack saw
1 - Kaki bag
1 - Pillow case
5 - Revolver holsters

Le 8 juin, nouvelle déposition de Pierre Talon devant la Commission des valeurs mobilières du Québec. Cette fois, Talon reconnaît sa participation.

Le 10 juin, on procède à une perquisition chez le sergent Gérard Proulx de la Police de Montréal et au sous-sol de sa résidence, on y trouve 37 billets de 100 $.

Pour des raisons évidentes de sécurité, du 10 au 26 juin, Talon est détenu à différents endroits.

Le 24 juin, début d'une surveillance électronique artisanale à partir de la résidence d'un autre policier de Montréal, 7377 rue Octogonale, Ville St-Michel, sur le numéro RA5-8882 qui appartient à Wilfrid Leclerc, lequel habite au 4289 rue Naples. Du 26 juin au 7 juillet, Pierre Talon est détenu à la résidence du sergent-détective Demonceau, au 1871, 6e avenue, Pointe-aux-Trembles.

Après la commission d'un crime majeur, il est évident que les participants doivent se tapir. Il ne saurait être question pour eux de vivre ensemble, non plus que d'être vus ensemble dans un endroit public. C'est donc le chacun pour soi.

Cependant, il y a toujours le risque pour l'un d'eux d'être arrêté par la police et de devenir un délateur. Pour contrer cette menace, le système préconisé exige que chacun des participants se rapporte quotidiennement à celui qu'on appelle le contact. À défaut, l'alerte est donnée.

Dans le cas qui nous intéresse, le contact n'est nul autre que Frederick Van Dyke, ou Freddy Cadieux, qu'on peut rejoindre au numéro CR3-8063. Durant toute la période du 26 juin au 7 juillet, Pierre Talon se rapporte religieusement au contact et comme l'exige la procédure, il appelle toujours d'une boîte téléphonique, en laissant un numéro où on pourrait le rejoindre en cas d'urgence, soit le MI5-3211, c'est-à-dire le

Pierre Talon se rapporte religieusement au «contact».

Frederick Van Dyke, ou Freddy Cadieux : le «contact».

Sergent-détective Maurice Demonceau, enquêteur
sur le vol du camion de la poste.

«Mon nom c'est René Leduc, le vol du camion de la poste.»

numéro de la résidence du sergent-détective Demonceau, mais enregistré sous un autre nom.

Soudainement, pour des raisons inexpliquées, on s'inquiète à l'autre bout et il est devenu très important pour l'un des membres du groupe d'avoir un face-à-face avec Pierre Talon.

Le 7 juillet, tentative de visite de Gilles Lebrun à Pierre Talon au 1871, 6e avenue, Pointe-aux-Trembles, et fusillade en direction du véhicule de Gilles Lebrun qui, miraculeusement, réussit à se sauver.

Le 7 juillet, perquisition au 4289, rue Naples, résidence de Wilfrid Leclerc, et découverte d'une somme de 500 $ en 5 billets de 100 $. Dans la nuit du 7 au 8 juillet, arrestation au motel Le Diplomate de Maurice Arbic, Gaston Lavoie et Wilfrid Leclerc en présence du frère de Maurice Arbic et d'un individu du nom de Frederick Van Dyke ou Freddy Cadieux. Le ou vers le 7 juillet, arrestation de Henri Samson.

Le 16 juillet, arrestation de René Leduc au motel International, situé près de l'aéroport de Dorval. Celui-ci, qui a la chevelure poivre et sel et qui veut se déguiser, décide de se teindre en roux, à la Van Gogh. La femme de chambre, trouvant dans le panier à rebuts, des linges de couleur rouge qui lui font penser à du sang, alerte la police de Dorval.

Les policiers arrivent sur les lieux et procèdent à l'interpellation de Leduc en lui demandant qui il est. En gai luron aguerri, il répond: "Mon nom c'est René Leduc, le vol du camion postal"; et par la suite, il ajoute: "Je me teins les cheveux pour pas me faire pogner et je me fais pogner parce que je me suis teint les cheveux."

Chapitre 3

Les procédures préliminaires

I-L'enquête préliminaire dans le dossier de Wilfrid Leclerc

Comme le lecteur le sait déjà ou pourra s'en rendre compte en lisant les pages qui suivent, c'est une chose que d'arrêter des individus. C'est une autre chose que de recueillir la preuve et c'est une toute autre chose que de présenter une preuve hors de tout doute raisonnable devant le Tribunal.

Dans ce genre de dossier, c'est-à-dire quand l'enquête policière repose principalement sur la collaboration d'un complice, c'est encore plus délicat. De toute nécessité, il faut assurer la protection physique de ce complice car autrement, il serait vite liquidé. Mais il faut aussi assurer sa protection au niveau de la crédibilité. En plus de requérir ce qui s'appelle la corroboration.

D'autant plus que dans cette cause, compte tenu du montant en jeu, 1 400 000 $, et du nombre d'accusés, le lecteur va pouvoir assister à un défilé d'avocats de défense les plus chevronnés des années 60.

Celui qui ouvre la marche n'est nul autre que Wilfrid Leclerc[1]. Il est représenté par Me Raymond Daoust, assisté de Me Léo-René Maranda. Même si Me Maranda n'est admis au Barreau que depuis 7 ans (1957), il est déjà un adversaire

___
(1)Dossier numéro 14,391.

redoutable. La comparution a lieu le 10 juillet devant le juge Claude Wagner. Le procès-verbal est lapidaire: pas de caution.

L'enquête préliminaire est fixée au 17 juillet, puis reportée au 22. À cette date, c'est toujours le juge Wagner qui est sur le banc et Mᵉ Jacques Ducros représente la Couronne. Deux seuls témoins sont entendus: Lionel Doutre, le chauffeur du camion de la poste, et Pierre Talon. C'est là le premier affrontement entre ce dernier et Mᵉ Daoust. Il y en aura plusieurs autres. Il fallait voir l'attitude particulièrement agressive de Mᵉ Daoust lorsqu'il contre-interrogeait un témoin complice. Mais au stade de l'enquête préliminaire, un avocat d'expérience n'emploie pas toutes ses cartes. Du moins, c'était la stratégie de l'époque. Sans plus, le prévenu Leclerc est cité à son examen volontaire:

"L'accusé présent:

L'examen volontaire a lieu et l'accusé déclare ne pas avoir de témoins à faire entendre ni de défense à offrir.

Le Tribunal déclare que la preuve est suffisante pour renvoyer l'inculpé pour qu'il subisse son procès. Pas de cautionnement.

Donc procès."

Quatre autres accusés subissent le même sort. Gaston Lavoie[1] qui est représenté par Mᵉ Réal Gagnon, et Maurice Arbic[2] qui est, lui aussi, représenté par Mᵉ Daoust et Mᵉ Maranda et qui ont été arrêtés en même temps au motel Le Diplomate, acceptent que la preuve faite dans le dossier Wilfrid Leclerc soit versée dans leur propre dossier.

René Leduc[3] arrêté le 16 juillet et représenté par le tandem Daoust-Maranda ainsi qu'Henri Samson[4] représenté

---

(1)Dossier numéro 14,388. (2)Dossier numéro 14,390.
(3)Dossier numéro 14,416. (4)Dossier numéro 14,392.

Il fallait voir l'attitude particulièrement
agressive de Me Daoust lorsqu'il contre-
interrogeait un témoin complice.

En 1957, Me Léo René Maranda était
déjà un adversaire redoutable.

Me Jacques Ducros représente la
Couronne.

La comparution a lieu devant le juge
Claude Wagner. Le procès-verbal est
lapidaire : pas de caution.

MAURICE ARBIC   BENOIT DOUCET   GASTON LAVOIE   GILLES LEBRUN

Photo: Allô Police, collection Bibliothèque nationale du Québec

Leurs dépenses soudainement extravagantes, au lendemain du vol, ont contribué à les faire prendre.

WILFRID LECLERC   RENE LEDUC   HENRI SAMSON

Photo: Allô Police, collection Bibliothèque nationale du Québec

par Me Dollard Dansereau font la même admission et subissent le même sort.

Donc, cinq prévenus, Arbic, Lavoie, Leclerc, Leduc et Samson sont cités à procès et Pierre Talon n'a eu à témoigner qu'une seule fois.

II - L'intervention d'Henri Aubry et de Pierre Boucher

Des neuf participants à l'opération, en excluant "le gars du tuyau", trois sont toujours au large. On imagine facilement qu'avec la publicité qu'a reçue l'enquête préliminaire de Wilfrid Leclerc -- l'ordonnance de non-publication n'existe pas encore -- les fugitifs font preuve de beaucoup de circonspection dans leurs déplacements. Bien sûr, il y a un mandat d'arrestation contre eux et leur photo circule dans tous les services de police du pays ainsi qu'à l'étranger, grâce aux bons soins d'Interpol. Il s'agit de Benoît Doucet, Gilles Lebrun et André Paquette.

Or il arrive que lors de l'arrestation de René Leduc au motel International, les policiers ont saisi toutes sortes de vêtements particulièrement intéressants. Voici la description qu'en donnera Maurice Demonceau en temps utile.

R. (...) Par la suite, le détective Portelance m'a conduit sur le terrain de stationnement à l'arrière du motel International où il m'a indiqué une auto de marque Chrysler 1961, numéro de licence 437-992 de l'année 64 Québec; j'ai perquisitionné cette auto, il y avait plusieurs valises, beaucoup de vêtements, l'auto était remplie, la valise et l'arrière, la banquette arrière, de vêtements de toutes sortes; j'ai pris tous ces vêtements, je les ai transférés dans mon auto, j'ai fait venir la remorque du garage de la fourrière municipale, et l'auto fut remorquée à cet endroit.

(...)

R. (...) Oui, Votre Seigneurie, voici, ici, c'est une liste des vêtements saisis dans l'auto Chrysler, c'est un rapport que j'ai fait le 20 juillet, enregistré au nom d'André Benoît,[1] 4188 rue Colonial, au motel International, Dorval, P.Q.; une valise en cuir brun contenant du linge de corps et articles de toilette, un radio transistor identifié par René Leduc en présence des détectives Lozeau et St-Martin; la valise est de marque Fournier, il y a toute une liste ici de vêtements qu'il a identifiés.

Q. Voulez-vous donner la liste?

R. Quatre habits, la propriété de René Leduc, un imperméable, la propriété de René Leduc, un parapluie, une veste de laine noire, un coupe-vent drable, trois chemises sport, trois paires de pantalons, un sac contenant bottes et souliers, une paire de longue-vue dans un étui en cuir brun de marque Lugenice série 501942.

Et le témoin Demonceau de poursuivre:

Q. Voulez-vous dire à la Cour si parmi les effets dont vous aviez pris possession le 16 juillet, au motel International, dans la voiture Chrysler, il s'en trouvait qui appartenaient à Benoît Doucet?

R. Oui Votre Seigneurie (...)

(...)

"entre autres, un habit gris, une chemise, une cravate, une paire de souliers, une paire de shorts, deux mouchoirs, puis une boîte de crème à barbe.

Q. (...) Monsieur Demonceau, je vous exhibe, j'avais commencé à vous exhiber quatre vestons et trois pantalons qui sont dans une boîte de carton, voulez-vous examiner ces vestons-là et nous dire si vous les reconnaissez, la boîte en particulier, et nous dire si vous la reconnaissez?

R. Oui, Votre Seigneurie.

---

(1)Vraisemblablement le prénom d'André Paquette et de Benoît Doucet.

Q. Vous reconnaissez les effets et la boîte comme étant quoi ou comme provenant de quel endroit?

R. Comme provenant de l'auto Chrysler trouvée.

Q. Sur le terrain de stationnement du motel International à Dorval?

R. C'est ça.

Q. Voulez-vous examiner en particulier l'intérieur du veston que je vous montre, et nous dire s'il y a un nom inscrit à l'intérieur de ce veston-là?

R. Oui, Votre Seigneurie, c'est écrit: "Tony the Taylor, Montreal, Tailored especially for A. Paquette, November 1963".

Q. Ceci se trouvait parmi les effets de René Leduc et Benoît Doucet dont vous nous avez parlé tout à l'heure?

R. Dans la Chrysler, Votre Seigneurie.

La seule conclusion que l'on puisse tirer de cette trouvaille, c'est que Doucet et Paquette ne sont certainement pas loin.

Benoît Doucet s'ennuie beaucoup. Il veut revoir sa petite amie. Il lui donne rendez-vous au parc Jeanne Mance à 11 heures du soir. Malheureusement, la conversation est interceptée et à l'heure dite, le 4 août 1964, le sergent-détective Fernand Laroche est lui aussi au rendez-vous et il procède à son arrestation. Il comparaît le 6 août devant le juge Irénée Lagarde. La Couronne est représentée par Me Boilard, et l'accusé par Me Maranda. L'enquête est fixée au 13 août, puis reportée par la suite tantôt à la demande du Ministère Public, tantôt à la demande du procureur de l'accusé, au 21 août, au 25 août, au 1er septembre, au 8 septembre et au 11 septembre. Ici, il est important de faire une pause.

Henri Aubry est un jeune homme de belle prestance et d'un commerce très agréable. Il n'a pas de métier connu mais il fait quand même la belle vie. Il est vu fréquemment aux hippodromes de Richelieu et de Blue Bonnets ainsi qu'au Café de l'Est, repère bien connu de plusieurs personnages du milieu: Turcot, dit La Ploune, Eddie Lechasseur, André Aird et cie.

Talon, qui est sous surveillance particulière a été déplacé de la prison de Sherbrooke où il avait été repéré et il habite un appartement situé au 132 rue Ball, à Sherbrooke.

Voici la suite des événements tel que relatés par Maurice Demonceau.

Q. Pendant cette période-là, c'est-à-dire à la suite de l'arrestation de Benoît Doucet, voulez-vous dire à la Cour à quel endroit était détenu Pierre Talon?

R. Dans ce temps-là, il était détenu, ça c'est le 6 août.

Q. Au mois d'août 1964?

R. Il était détenu à la prison de Sherbrooke.

Q. Est-ce que, sans entrer dans les conversations que vous avez pu avoir avec Pierre Talon, est-ce que vous avez eu l'occasion de communiquer par téléphone avec Pierre Talon, ou est-ce que Pierre Talon a communiqué par téléphone avec vous?

R. Il a communiqué par téléphone avec nous, ici, à Montréal, Votre Seigneurie.

Q. Est-ce que ce serait dans le cours du mois d'août 1964?

R. Oui, Votre Seigneurie.

Q. Maintenant, à la suite des conversations téléphoniques que vous avez eues avec Pierre Talon, voulez-vous dire à la Cour si des mesures spéciales ont été prises, à Sherbrooke en particulier?

R. Oui, Votre Seigneurie, un appartement a été loué sur la rue Ball à Sherbrooke, je crois que c'est le 132 rue Ball, appartement 4.

Q. Maintenant, est-ce que des officiers de police ont été placés à cet endroit-là sur vos instructions?

R. (…) À cet endroit-là, Votre Seigneurie, il y avait… je me suis rendu là avec le lieutenant-détective Louis Langlois et la policière 31, Fleurant, tous deux de la police de Montréal.

Q. Maintenant, venons-en à la journée du 10 septembre 1964, est-ce que vous-même, Monsieur Demonceau, vous étiez sur les lieux, quand je parle des lieux, je veux dire l'appartement en question sur la rue Ball, avec le lieutenant Louis Langlois et la policière Fleurant?

R. Oui, Votre Seigneurie.

Q. Voulez-vous dire à la Cour si à cet endroit-là vous avez eu l'occasion de procéder à l'arrestation d'individus?

R. J'ai procédé à l'arrestation de deux individus et, de plus, j'ai saisi 10 000 $ en possession de ces deux individus-là, en plus de l'argent de poche qui montait à 1 500 $.

Q. Quel était le nom de ces deux individus, Monsieur Demonceau?

R. Henri Aubry, Pierre Boucher.

Q. Maintenant, voulez-vous dire à la Cour, Monsieur Demonceau, si à votre connaissance, une enquête préliminaire devait avoir lieu à Montréal relativement à la présente cause dans les jours immédiats qui suivaient le 10 septembre 1964?

R. Oui, Votre Seigneurie, le 11 septembre, il devait y avoir une enquête préliminaire de Benoît Doucet.

Même si monsieur Demonceau ne peut rapporter les paroles qui auraient été échangées par téléphone entre Pierre Talon et Henri Aubry, hors sa présence, le lecteur aura vite compris que le but visé par Henri Aubry en offrant la somme de 10 000 $ à Pierre Talon était de lui faire changer son témoignage à l'enquête préliminaire de Benoît Doucet.

Autre développement intéressant, comme nous l'indique Maurice Demonceau:

Q. Maintenant, dans la journée du 10 au 11 septembre 1964, Monsieur Demonceau, voulez-vous dire à la Cour si vous avez eu l'occasion de faire une perquisition au 3540 rue Masson, appartement 27?

R. Oui, Votre Seigneurie.

Q. Quelle date?

R. Dans la nuit du 10 au 11 septembre 1964, le soir même, Votre Seigneurie, de l'arrestation des deux individus. À la suite de l'arrestation des deux individus, après que ces derniers furent conduits à Montréal, amenés au quartier de détention, j'ai été perquisitionner au 3540, appartement 27, sur la rue Masson; à cet endroit-là, j'ai trouvé du linge, des habits, des effets appartenant à Benoît Doucet.

Q. Et, à votre connaissance, Monsieur Demonceau, l'appartement 27 du 3540 rue Masson était loué à qui?

R. Il était loué à Henri Aubry.

Q. Je vous exhibe maintenant une autre série de complets ou de costumes, voulez-vous les examiner et nous dire si vous pouvez indiquer la provenance de ces costumes-là?

R. Oui, Votre Seigneurie, ce sont les habits qui ont été trouvés au 3540, rue Masson, appartement 27, l'appartement d'Henri Aubry.

Q. Voulez-vous examiner l'intérieur de chacun de ces complets-là et nous dire si vous y voyez un nom ou une marque de fabrication?

R. Michel Tamilia, Ben Doucet, 5/6/1963; le deuxième habit: Ben Doucet. 5/6/1963; le troisième habit: Michel Tamilia, Ben Doucet, 6/4/64; le quatrième habit: B. Doucet 7/4/1964.[1]

Q. Quel est le fabricant?

R. Maxime; un autre habit fabriqué chez Maxime, B. Doucet, 7/4/1964; un autre habit fabriqué chez Maxime, B. Doucet, 7/4/1964.

Q. Alors, voulez-vous produire ces six complets appartenant à B. ou Ben Doucet, trouvés dans l'appartement d'Henri Aubry, comme pièce P-96.

Henri Aubry et Pierre Boucher comparaissent le 16 septembre, leur enquête préliminaire est fixée au 18 septembre alors qu'ils sont tous les deux cités à procès. Ils restent incarcérés.

III - L'enquête préliminaire dans le dossier de Benoît Doucet

Revenons à l'enquête préliminaire de Benoît Doucet qui avait été fixée au 11 septembre. On peut facilement imaginer la déconfiture du prévenu et de ses procureurs suite à ce qui devait être pour eux la mésaventure de Sherbrooke survenue la veille. C'est certes avec un large sourire, comme on le connaît maintenant et je vous assure qu'il n'était guère différent à ce moment-là, que Me Boilard se présente devant le juge T.A. Fontaine pour demander la remise au 16 septembre.

_____

(1)À l'époque, un costume fait sur mesure devait se vendre environ 250 $.

Me Daoust, qui représente toujours Doucet, ne fait aucune objection, et pour cause. La Couronne a besoin de réfléchir à sa stratégie afin d'utiliser ses atouts à bon escient. Remise subséquente du 16 au 18 et à cette date, Me Ducros est prêt à procéder devant le juge Chevrette.

Ducros, qui est un excellent négociateur, a réussi à convaincre les avocats Daoust et Maranda d'accepter que les dépositions recueillies lors de l'enquête préliminaire de Leclerc soient versées comme preuve dans le dossier Doucet. Talon n'a pas à témoigner une autre fois. Le jugement est reporté au 25 septembre, sans doute pour permettre au juge de prendre connaissance des dépositions. À cette date, chose inusitée et pour des raisons que je ne m'explique guère mais qui me laissent perplexe, l'examen volontaire est reporté au 30 septembre. Et là, il sera reporté subséquemment au 6, au 14, au 21, au 28, au 30 octobre et finalement, au 6 novembre. Alors, le prévenu est cité à son procès. Cautionnement: aucun.

IV- L'enquête préliminaire et le procès du sergent Gérard Proulx

Il est utile de se rappeler que peu de temps après sa deuxième arrestation, le 5 juin 1964, Pierre Talon avait fait une déclaration complète aux policiers et que dans les jours subséquents, les enquêteurs avaient réussi à recueillir des éléments de preuve fort intéressants. S'il leur était impossible pour le moment de mettre la main sur les participants, c'était relativement facile pour eux de procéder à l'arrestation du sergent Proulx. Mais pour ce faire, on utilise un stratagème. Le 10 juin 1964, Pierre Talon appelle le sergent Proulx au téléphone pour lui dire qu'il a besoin de sa protection pour transporter de l'argent. Il va même jusqu'à lui offrir deux mille dollars. Peu de temps après, le sergent Proulx se présente à une unité d'un motel de l'est de la ville pour se faire coffrer par les policiers Beaupré et Demonceau. Les officiers de police qui ont procédé à cette arrestation sont plutôt discrets à ce sujet. Ce ne doit pas être facile pour eux de coffrer un des leurs. Dans leur esprit, la seule explication, c'est que leur collègue, par faiblesse et corruption, a succombé à la tentation. Sans mot dire, ils en ressentent le mauvais goût. Pour eux, même si la paie n'est pas mirobolante, le métier de policier fait bien vivre son homme en plus des nombreux avantages marginaux qu'il peut retirer. Le policier moyen peut rapidement s'acheter une maison, avoir son automobile, pourvoir de façon très adéquate aux besoins de sa femme et de ses enfants, faire de petits voyages ou faire l'acquisition d'un chalet, bénéficier de rabais importants lors de l'acquisition de biens de toutes sortes et bénéficier, après vingt-cinq ans de service, d'une caisse de retraite fort bien garnie. Bien sûr, on peut en vouloir davantage, mais les moyens pour ce faire doivent être normaux. Autrement, même si dans son esprit, il ne se fera jamais prendre, l'officier de police qui succombe à la tentation encourt un énorme risque.

Le 12 juin, Gérard Proulx comparaît devant le juge Paul Hurteau. Il fait face à deux dénonciations:

> Gérard Proulx, de la Cité de Montréal dans le dit District, vous êtes accusé, ce jour, devant le soussigné, juge des sessions de la paix, agissant dans et pour le District de Montréal, d'avoir le 31e jour de mars 1964 en la Cité de Montréal, dit District, sachant que des personnes ont été parties à une infraction, savoir : un vol à main armée sur un camion de la Poste Royale du Canada, illégalement aidé ou assisté les dites personnes à s'échapper, commettant par là un acte criminel, prévu à l'article 23-1 du Code criminel.

Gérard Proulx, de la Cité de Montréal dans le dit District, vous êtes accusé, ce jour, devant le soussigné, juge des sessions de la paix, agissant dans et pour le District de Montréal, d'avoir le 31e jour de mars 1964 en la Cité de Montréal, dit District, illégalement eu en votre possession une somme de 3 700 $ la propriété de la Poste Royale du Canada, sachant que le dit argent a été obtenu par la perpétration au Canada d'une infraction punissable sur acte d'accusation, savoir un vol commettant par là un acte criminel, prévu à l'article 296 du Code criminel.

Son enquête préliminaire est fixée au 17 juin, puis reportée au 19 juin où les parties procèdent devant le juge Armand Cloutier. La Couronne est toujours représentée par Me Ducros mais l'accusé a retenu les services des avocats Paul Lalonde et Hervé Bélanger. Un policier traduit devant les tribunaux serait mal venu de retenir les services de l'un ou l'autre des avocats qui représentent les participants et pour leur part, les participants verraient d'un très mauvais oeil que leurs procureurs représentent aussi un policier.

La Couronne annonce qu'elle entend procéder sur le deuxième chef, celui de recel.

La preuve débute par le dépôt de 37 billets de 100 $ chacun par monsieur Hervé Delisle, un caissier à l'emploi de la Banque Canadienne Nationale. Il est à l'origine de l'envoi d'une somme d'argent par la poste. À l'aide de la déposition de plusieurs autres témoins, on peut suivre le mouvement de cet envoi postal en passant par:

Horace Delisle, caissier, Joseph Prosper Ouellette, messager-escorte, Magella Villeneuve, commis des postes, Léon Verronneau, messager, Gérard Lalonde, employé de banque, René Robert, gardien sur char blindé de la B.C.N., Roch Heinds, messager B.C.N., Joseph R. Moffat, commis des postes, Fernando Lemieux, postier ambulant.

Le dernier témoin entendu est le lieutenant Félix Jean qui a saisi les 37 billets à la résidence du sergent Proulx. Les numéros de série de ces billets apparaissent sur une liste dressée par monsieur Jean et comme il se doit, les numéros coïncident avec les numéros de certains des billets confiés à la poste par monsieur Delisle, le tout premier témoin. Il n'en faut pas davantage pour que le prévenu soit cité à son procès sur le deuxième chef et sans cautionnement. L'enquête, sur le premier chef est ajournée au 25 juin. La preuve sur le premier chef exige la présence de Pierre Talon et comme aucun autre participant n'a été arrêté, on n'est certes pas prêt à le faire entendre tout de suite. Si bien que lors de l'audience du 25 juin devant le juge John O'Meara qui est reconnu pour l'application des principes de justice fondamentaux et comme la Couronne demande la remise au 2 juillet, le prévenu est admis à recouvrer sa liberté provisoire moyennant un cautionnement de 10 000 $ sur immeuble et en première hypothèque. Au fond, c'est un peu une formalité puisque l'accusé s'est vu refuser tout cautionnement concernant la deuxième dénonciation.

Remises subséquentes au 8 juillet et au 15 juillet où devant le juge Wagner, on fait entendre Pierre Talon et Maurice Demonceau. À remarquer que lors de cette enquête, Talon n'a pas à témoigner sur toutes les circonstances ayant entouré la perpétration du vol. Il se limite au rôle du sergent Proulx à partir de la résidence de la grande Andrée, le soir du vol et aux faits et charges ayant immédiatement précédé l'arrestation du 10 juin. Sans plus, le prévenu est cité à procès sur la première dénonciation. Le cautionnement est annulé. L'accusé reste incarcéré.

Pour des raisons que seuls les avocats de l'accusé pourraient expliquer mais possiblement en vertu d'une vieille théorie qui veut que quand on a une cause perdue, la seule chance possible soit d'aller devant jury, l'accusé demeure devant les assises criminelles. À l'ouverture du terme de septembre, la cause est fixée pour procéder au 25 octobre.

Maurice Duplessis, premier ministre du Québec de 1944 à 1959 aura laissé des traces indélébiles. Libéral invétéré, comme je l'ai déjà indiqué dans la préface, je dois admettre que son décès prématuré, le jour de la Fête du travail en 1959, a éveillé en moi une bonne dose de mélancolie. Impitoyable pour la plupart de ses adversaires, il savait faire preuve d'un paternalisme exceptionnel à l'endroit de ses amis ou de ceux qu'il considérait comme tels. Il avait cette habitude d'appeler tous ceux qu'il rencontrait par leur nom de famille tout en les tutoyant: "Lapointe, tu viens d'où, toi" m'avait-il demandé quand j'eus pour la première fois l'occasion de lui adresser la parole.

À la réponse que je lui fais: "Je viens de Price dans le comté de Matane", il ajoute aussitôt: "Tu serais pas le fils de l'ancien député libéral?"

Duplessis était une encyclopédie patronymique ambulante. Politicien fort habile, il avait des appuis dans tous les milieux. La communauté d'origine italienne de Montréal n'y échappait pas. Son porte-parole n'était nul autre que James Franceschini, entrepreneur émérite résidant à Toronto. Je n'ai jamais tout à fait bien compris les raisons de cette amitié ou de cette loyauté entre Duplessis et Franceschini, mais les plus importants contrats de voirie étaient accordés à Franceschini. Gérald Martineau, le trésorier de l'Union Nationale ne devait pas être tout à fait étranger à cette relation.

Quoi qu'il en soit, l'un des protégés de Franceschini était un jeune avocat d'origine sicilienne de Montréal du nom de

Peter V. Shortino. Gradué de McGill, il avait fait du service dans la marine canadienne durant la guerre et il il avait été nommé procureur de la couronne dans les années 50. Peu de temps avant la défaite de l'Union Nationale en juin 60, soit le 15 mai 1959, il devait être nommé juge à la cour des sessions de la paix, devenant ainsi le premier avocat d'origine sicilienne à accéder à la magistrature. Quelques années plus tard, par l'intervention de Guy Favreau, député de Papineau et nouveau ministre de la Justice dans le cabinet Pearson, il est muté de la cour des sessions de la paix à la cour supérieure.

Il était alors la bible chez les juges de Montréal en droit criminel. N'eut été de son piètre état de santé,[1] il aurait pu être muté à la cour d'appel et subséquemment à la Cour suprême et il serait devenu le premier canadien d'origine italienne à être nommé à la Cour suprême et ce, bien avant Frank Iacobucci qui vient tout juste d'accéder à ce poste.

Et le malheur a voulu que le sergent Proulx qui a opté pour un procès devant jury se retrouve devant l'honorable juge Peter Shorteno qui préside son procès.

Peter Shorteno, d'une intégrité à toute épreuve, juriste par surcroît, avait été comme procureur de la couronne, la terreur des accusés et des procureurs de la défense. Il connaissait du bout de ses doigts, tous les trucs de la défense et tous les arguments pour y faire face en puisant abondamment dans Phipson[2] qu'il connaissait presque par coeur.

Bruno Pateras, d'ascendance italienne lui aussi, admis au Barreau en 1958, nommé procureur de la couronne en juillet 1960, s'est rapidement imposé non seulement par la qualité de

---

(1)Décédé à Toronto le 14 avril 1989.
(2)Phipson, auteur et commentateur émérite en droit pénal.

ses connaissances juridiques, mais surtout par sa ténacité, voire même, dans certains cas, sa férocité en salle d'audience.

Dans ce procès, c'est à lui qu'est confiée la tâche de représenter le Ministère Public. L'accusé pour sa part a changé de procureur et il est maintenant représenté par le tandem Ross Drouin et Guy Guérin.

La preuve de la Couronne devant jury est essentiellement la même que celle présentée à l'enquête préliminaire sur le deuxième chef de la dénonciation.

Mais c'est au stade de la défense que les "explosions" ont lieu. Comme je n'étais pas présent à ce débat et comme les transcriptions des témoignages et les pièces ne sont pas disponibles, je laisse à Léopold Lizotte, chroniqueur judiciaire à *La Presse*, la tâche d'en assumer la narration.

Le sergent Proulx tente de démontrer son innocence par une preuve d'alibi.

(séance du 28 octobre)[1]

Un ancien Frère des Écoles chrétiennes devenu depuis conducteur d'autobus pour la Commission de Transport de Montréal, a commencé devant le jury des assises, hier après-midi, la preuve d'alibi que l'on entend apparemment faire en défense du sergent de police Gérard Proulx, accusé de complicité après le fait dans le vol d'un camion de la poste, en mars 1964.

Témoignant devant le juge Peter V. Shorteno, hier après-midi, monsieur Léopold Lacombe a dit être resté un ami intime de Proulx, après avoir été son locataire pendant quelques années.

---

(1)Publié dans l'édition de La Presse du vendredi 29 octobre 1965.

Et, à ce titre, il l'aurait revu à quelques reprises, chaque année, après avoir quitté son logis de la rue Sackville.

Interrogé par le procureur du policier, Me Guy Guérin, l'ancien clerc, qui demeure maintenant rue Papineau, a affirmé sans hésitation que le prévenu avait passé toute la soirée du 31 mars dernier à son domicile.

Au cours de son témoignage, on s'en souviendra, le principal témoin de la Couronne, l'accusé Pierre Talon avait affirmé que le "sergent" avait été appelé par l'un de ses comparses du vol, Leduc, pour aller le reconduire chez lui avec trois des "parts" du butin de 1 349 000 $ volé au cours de l'agression armée qui avait eu lieu à l'intersection des rues Université et Lagauchetière.

Mais il n'avait cependant pas pu préciser à quelle heure exacte Proulx s'était présenté chez la "Grande Andrée" rue St-Dominique, valise ou valises sous les bras.

Monsieur Lacombe, pour sa part, a expliqué qu'en rentrant de son travail, vers 7 h, il avait téléphoné à monsieur Proulx pour qu'il vienne chercher des diapositives qu'il avait fait développer pour lui dans une pharmacie du voisinage.

Départ, minuit?

Proulx aurait tout d'abord refusé de venir, en disant que c'était soirée de hockey ce soir-là, et qu'il ne voulait pas manquer sa partie. Mais monsieur Lacombe lui fit remarquer qu'il pourrait tout aussi bien regarder la joute chez lui.

Et, 15 minutes plus tard, le sergent se serait amené rue Papineau, avec son épouse.

Le souper terminé, on serait passé au visionnement des diapositives en couleurs représentant des scènes d'une vacance à Atlantic City fixées sur la pellicule l'été précédent, puis l'heure du hockey arrivée, monsieur Proulx s'en serait allé au salon pendant que le témoin couchait les enfants et que les deux épouses "papotaient" dans la cuisine.

Aux alentours de 10 heures, et une fois la joute terminée seulement, le prévenu serait traversé au restaurant d'en face pour aller quérir des liqueurs douces et des barres de chocolat. Madame Lacombe ayant un faible pour ces dernières.

Et le couple Proulx ne serait parti qu'aux environs de minuit. Madame Proulx étant celle qui sonna le départ en faisant remarquer que monsieur Lacombe devait se lever très tôt, le lendemain matin pour se rendre à son travail sur "la ligne St-Hubert".

Le témoin dépose par ailleurs devant la Cour la boîte dans laquelle se trouvaient les diapositives de Proulx et il note que dans le fond de la boîte il y a des chiffres qui semblent constituer une date. Celle du 24 mars, jour où le film aurait été reçu pour développement par la compagnie Kodak.

Mais, après minutieux examen de ces chiffres, le Tribunal suggère lui-même comme conclusion que cette date serait plutôt celle du 25 mars 1965 et qu'elle constituait la date limite à laquelle le film pouvait être utilisé avec succès.

La fête à son père

Pressé d'expliquer pourquoi il se rappelle avec tant de précisions que tout cela s'est déroulé le 31 mars dernier, monsieur Lacombe explique que, entre autres choses, c'était la veille de l'anniversaire de naissance de son père.

Et que, au cours de la soirée son épouse lui avait rappelé cet événement en lui recommandant de ne pas oublier d'appeler son paternel, le lendemain. Comme il l'avait déjà oublié auparavant.

La poursuite ayant précédemment établi le salaire de Proulx comme ayant été de 4 600 $ par année, comme sergent de la police de Montréal, M⁰ Guérin fait par ailleurs dire au témoin que, à sa connaissance il travaillait aussi régulièrement, pour augmenter ses revenus, dans un poste d'essence de la rue St-Hubert, près de la rue Boucher.

La tuile qui s'enlève

Contre-interrogé par le procureur de la couronne, M⁰ Bruno J. Pateras, monsieur Lacombe dit ne pouvoir se rappeler d'aucune autre des dates auxquelles le prévenu l'aurait visité pendant les quelques mois précédant son arrestation.

Il dit également ne rien connaître d'une tuile qui s'enlèverait dans le plancher du sous-sol de l'inculpé, pour permettre d'y cacher de l'argent. Il confirme toutefois qu'il a aidé le prévenu à construire ce plancher.

Par la même occasion, il nie avec beaucoup de vigueur qu'il ait jamais téléphoné à la police pour dire que si l'on cherchait sous une telle tuile, dans le sous-sol de Proulx, on y trouverait d'autre argent.

Il nie avec la même énergie qu'il ait jamais parlé de cette tuile amovible à un autre chauffeur d'autobus, monsieur Roland Sanscartier, lui aussi conducteur sur la ligne St-Hubert.

Il ne peut par ailleurs dire à quelle heure s'est terminée la joute de hockey à la TV ce soir-là, ni s'il y a eu période supplémentaire.

De l'argent "cash" pour une roulotte

Monsieur Richard Coupal, trente-deux ans, un journalier de Champlain dans l'État de New York, qui est le beau-frère de monsieur Proulx, vient ensuite raconter qu'au cours de deux visites que l'accusé lui a faites en mai et juin 1964, il avait montré beaucoup d'intérêt à la roulotte qu'il venait d'acquérir, et dans laquelle il demeurait avec sa famille.

À la deuxième visite, début de juin, Proulx aurait donné plus de précisions à son beau-frère, en lui expliquant que c'était pour un ami qu'il voulait acquérir ce "home roulant".

Et comme monsieur Coupal, qui porte une moustache et des favoris fort curieusement découpés, lui faisant remarquer qu'il pouvait avoir une semblable roulotte à 3 000 $ ou 3 500$, mais s'il payait comptant, seulement, le prévenu lui aurait répondu qu'il avait l'argent comptant à la maison.

Monsieur Paul Leboeuf, le propriétaire du poste de service de la rue St-Hubert où l'accusé travaillait en fin de semaine vient finalement rendre un témoignage que l'on pourrait qualifier de "caractère".

Il dit que Proulx lui avait été présenté par l'ancien patron du garage comme étant son homme de confiance.

Et il l'avait gardé à son emploi à ce même titre, lui confiant notamment la tâche d'emporter chez lui les recettes d'environ 6 000 $ qui pouvaient s'accumuler en fin de semaine.

Or, pendant tout le temps qu'il a gardé le policier à son service, il n'a jamais constaté la disparition d'un seul cent.

Avant de lui accorder une telle confiance, toutefois, il l'avait "testé" en laissant volontairement des billets de 5 $ ou 10 $ sur son bureau. Mais chaque fois, le prévenu les lui avait fidèlement remis.

Talon aurait connu Proulx

Au cours de son témoignage, par ailleurs, le témoin principal de la Couronne, Talon, avait déclaré qu'il n'avait jamais rencontré le sergent Proulx avant le soir du partage chez la grande Andrée et qu'il ne l'avait notamment pas rencontré dans un garage de la rue St-Hubert.

Pour contredire le prévenu sur ce point, Me Guérin appelle alors Jean-Jacques Lebrun; chauffeur de taxi de son métier et frère de l'un des accusés du vol Gilles Lebrun.

Le jeune homme dit avoir vu Talon à plusieurs reprises au poste de service de la rue St-Hubert et il affirme qu'à deux ou trois reprises notamment, il a vu le jeune prévenu s'entretenir avec le policier.

À ce même poste de service, il se peut qu'il ait aussi vu quelquefois, un ou deux autres accusés du vol et notamment son frère Gilles.

Le sergent Proulx dit que c'est Talon, son accusateur, qui lui a remis les 3 700 $ volés. Une partie de son alibi est contredite.

(Séance du 29 octobre)[1]

"Si ce n'étaient pas les auteurs du hold-up du camion postal qui avaient remis au sergent de police Gérard Proulx les 3 700 $ volés qu'on avait retrouvés dans son sous-sol, quel était le nom de ce... généreux donateur?

Cette question qui brûlait toutes les lèvres depuis le début du procès de l'ex-policier, lundi, a finalement eu une réponse, hier après-midi.

Dans un geste dramatique, l'ancien policier a pointé un doigt rageur dans la direction du témoin principal de la Couronne, Pierre Talon, et a déclaré: "C'est lui qui m'a donné cet argent et il sait que c'est lui, le m... menteur."

Le moment de commotion passé, le prévenu a expliqué au jury présidé par le juge Peter V. Shorteno, que le jeune homme

---

(1)Publié dans l'édition de La Presse du samedi 30 octobre 1965.

qui était l'un des dix hommes participants du vol d'un million et demi, lui avait remis cette somme pour qu'il achète pour lui, aux États-Unis, une remorque, mais sans qu'il ait jamais su que c'était là de l'argent volé.

Interrogé pas son propre procureur, Me Guy Guérin, le prévenu a ajouté qu'à ce moment le jeune homme qu'il avait connu dans le poste de la rue St-Hubert, où il était employé lui avait confié que des membres de la pègre le menaçaient parce qu'il aurait dénoncé les présumés auteurs du meurtre d'un certain Dudas, garçon de table au Casa Loma.

Et il aurait ainsi voulu l'aider à se soustraire à ceux qui le persécutaient en l'installant à Champlain, dans l'État de New York où était déjà domicilié l'un de ses propres beaux-frères.

Mais jusqu'à hier après-midi, il semble que l'ancien policier, qui a été interrogé à maintes reprises par les autorités policières et qui a même été amené devant le directeur J. Adrien Robert à ce sujet, n'avait donné à aucun limier cette version ou cette explication.

Mais pourquoi ne l'a-t-il jamais dit?

Contre-interrogé par le procureur de la couronne, Me Bruno Pateras, il a d'ailleurs convenu qu'il n'avait jamais livré son lourd "secret" à personne.

Mais pourquoi donc?

Des explications que donne alors le prévenu, on peut conclure que choqué et profondément, par la façon dont ses confrères de travail l'avaient appréhendé, dans un motel de l'est de la ville, il avait pris au mot la recommandation qu'ils lui avaient alors faite de se taire... pour le moment.

Et que, même s'il a passé seize mois aux cellules, il n'a jamais eu la tentation de desserrer les dents pour donner sa version des faits. "Je me suis dit, de déclarer le témoin, que j'attendrais en Cour le moment de tout dire."

"D'ailleurs, ajoute l'ex-policier, lorsque j'ai vu Talon avec les officiers qui m'ont mis sous arrêt, je me suis dit que ce dernier leur avait peut-être déclaré que j'étais aussi impliqué dans le meurtre de Dudas.

Et je me suis encore dit que s'ils prenaient la parole de Talon contre la mienne, qui ne suis pas un "vendeur de montres" ni un voleur, contre moi qui ai travaillé toute ma vie pour gagner ma subsistance et celle de ma famille, eh bien je me tairais jusqu'au bout. C'est-à-dire jusqu'à aujourd'hui. Et c'est ce que j'ai fait. Vous venez d'avoir la vérité sur cette affaire."

Me Pateras insiste et lui demande s'il n'avait pas confiance dans la droiture et la compétence du directeur Robert et des membres de l'état major de la police qui l'avaient interrogé.

Tout en répondant qu'il avait le plus grand respect pour chacun, il affirme qu'il n'avait voulu rien dire toujours pour la même raison. Parce qu'on l'avait traité de façon cavalière, après avoir pris la parole du menteur qu'est, selon lui, le jeune Talon.

Une erreur sur la joute du 31 mars

L'un des points saillants du témoignage de Proulx avait toutefois été sa propre relation de la soirée du 31 mars, soirée à la fin de laquelle il aurait escorté deux des voleurs du camion postal vers leur domicile pour "protéger" ainsi leur part du butin.

L'accusé, qui dit être un fervent du hockey, confirme évidemment qu'il était au domicile d'un ami où, pendant la première partie de la veillée, il a regardé à la télévision la joute Canadiens-Toronto.

Selon ses dires, la télédiffusion de la joute a débuté à 8 h précises et elle s'est terminée un peu après 10 h 20 après qu'on eut disputé une courte période supplémentaire.

Il précise même qu'entre la 3e période et cette période supplémentaire, il est allé chercher de la liqueur et des chocolats au restaurant d'en face parce que la fin du "troisième vingt" l'avait réjoui et rendu libéral.

Avec force gestes, il explique alors qu'aux dernières minutes du troisième engagement, Henri Richard avait égalisé les chances pour le Canadien en comptant un but... à la Rocket.

Et le témoin de décrire du geste, encore une fois, comment le frère du grand Maurice avait déjoué le vétéran Bower. Une feinte parfaite, selon lui.

Me Pateras lui fait alors répéter à plusieurs reprises qu'il n'y a aucun doute dans son esprit sur les incidents particuliers de cette joute enlevante.

Et le témoin de réaffirmer avec grande emphase que le tout s'est déroulé comme il le dit.

À la suite d'un ajournement de quelques 70 minutes en soirée, son avocat devait cependant admettre... pour son client, que les choses ne s'étaient pas exactement passées comme cela.

Ni à la même heure.

Des heures plus officielles

Les registres officiels de Radio-Canada démontrent en effet que la télédiffusion de la joute a débuté à 8 h 30 et non à 8 h comme le soutenait l'accusé. Parce que c'était une partie de la semi-finale et non de la finale.

Par contre, selon les registres, également officiels de la Ligue nationale de hockey, la mise au jeu s'est faite à 8 h et la joute s'est terminée à 10 h 15 avec un compte de 3 à 2 à la fin de la troisième période.

Des buts ont été enregistrés à la première par Pulford du Toronto et Provost des Canadiens. À la deuxième, seul Pulford du Toronto avait compté. Puis, à la troisième c'était Jean-Claude Tremblay qui avait rétabli l'égalité, cependant qu'à 19 minutes 33 secondes c'était Henri Richard qui avait scellé l'issue de la partie.

Mais non pas en égalisant le compte. Et non pas en période supplémentaire.

Proulx, qui deux heures plus tôt, ne voulait pas démordre, doit se rendre à l'évidence.

Lui, grand amateur de hockey qui se targuait de pouvoir décrire avec exactitude d'autres moments tout aussi palpitants des joutes les plus enlevantes, s'est trompé.

Et pendant quelques moments ses joues couperosées s'empourprent un peu plus. Et c'est sur l'admission de cette erreur, dont on ne connaîtra l'effet sur les douze jurés que se termine en fait son procès.

À cause de l'heure tardive on doit forcément ajourner les plaidoiries des deux avocats et les directives du Tribunal.

Jamais condamné, jamais réprimandé

Tout au début de son témoignage, le policier, qui devait rester à la barre pendant près de quatre heures, avait déclaré qu'âgé de quarante et un ans, il avait fait partie de la police de Montréal pendant dix-sept ans.

-Vous n'avez jamais été condamné? de lui demander Me Guérin, son procureur. "Jamais."

-Et à la police même, est-ce qu'on ne vous a jamais réprimandé de quelque façon pour la manière dont vous exécutiez votre travail? "En dix-sept ans, je n'ai jamais reçu la moindre réprimande."

Cependant, invité à dire comment il avait gagné sa vie, avant de joindre la force policière de Montréal, le prévenu avait alors énuméré la douzaine d'emplois qu'il avait détenus, avant de devenir policier. Et en faisant remarquer que dans chaque cas, il avait toujours travaillé dur pour gagner son salaire, et sans jamais voler un seul cent à personne.

Il a toutefois expliqué, dans son témoignage que les ouvertures dans le plancher comme dans les murs de son sous-sol permettaient l'accès à certains tuyaux de service. Et rien d'autre.

Et lors de la perquisition qu'on a faite, à cet endroit, pourquoi a-t-il dit, en parlant de l'argent qui s'y trouvait, que c'était le sien?

"Parce que, dit-il, je m'en sentais responsable, vu que Talon me l'avait confié."

L'ex-sergent Proulx reconnu coupable de complicité après le fait dans le vol d'un camion postal en 1964.
(Séance du 30 octobre)[1]

Malgré un plaidoyer de 130 minutes, l'un des plus dramatiques que l'on ait entendu devant les assises ces dernières années, l'ex-sergent Gérard Proulx, de la police de Montréal, a été déclaré coupable de complicité après le fait dans le vol à main armée d'un million et demi de dollars commis dans un camion postal, le 31 mars 1964.

Le jury, que présidait le juge Peter V. Shorteno, a rendu son verdict après sept heures de délibération qui ont atteint peu à peu l'intensité d'un suspense presque affolant pour les membres de sa famille et les amis du prévenu, en fin de soirée.

---

(1)Publié dans l'édition de La Presse du lundi 1er novembre 1965.

Photo: Allô Police, collection Bibliothèque nationale du Québec

Me Guy Guérin : malgré un plaidoyer de 130 minutes, l'ex-sergent Gérard Proulx, de la Police de Montréal, a été déclaré coupable de complicité après le fait.

La décision des douze pairs de l'ex-policier montréalais a par ailleurs donné lieu, quelques secondes plus tard, à des scènes déchirantes, dans le corridor voisin de la Cour, alors que son épouse n'avait pu résister à la tentation de revenir au palais pour connaître le verdict qui se faisait de plus en plus attendre, et qui, avec chaque heure de retard, semblait redonner l'espoir à l'accusé et à ses proches.

Mais lorsque les trois syllabes fatidiques tombèrent des lèvres du président du jury à 11 h 20 P.M. pour être répétées onze fois, par la suite, par chacun des jurés, on eut l'impression très nette que le quadragénaire grisonnant qui se tenait à la barre depuis six jours entiers, venait de perdre le combat de sa vie.

Et peut-être même un combat pour sa vie, aussi dramatique que celui qui affronte l'inculpé de meurtre qui fait face à la peine capitale.

Passible d'une peine maximum de 14 années de bagne, l'homme qu'on a représenté d'une part comme un père de famille exemplaire, et un policier modèle pendant ses dix-sept années de service à la Sûreté de Montréal, est évidemment un homme "fini", quelle que soit la sentence que prononcera contre lui le juge Shorteno, le 12 novembre.

C'est évidemment le "spectre" de cette déchéance complète qui serait désormais le lot du policier s'il était condamné, qu'avait évoqué avec des intonations également déchirantes, à certains moments, le procureur de Proulx, Me Guy Guérin.

On pleure dans l'audience, l'accusé sanglote

Le jeune procureur montréalais a atteint, au cours de son plaidoyer, des sommets d'éloquence que l'on retrouve de moins en moins devant nos Cours.

Les larmes ont fusé sur les joues de plusieurs, quelques femmes dans l'audience pleuraient sans retenue, et, dans le box, l'accusé qui s'était montré d'une stoïcité étonnante jusque-là, éclata en sanglots.

Mais le plus bel hommage rendu à l'avocat de la défense devait être celui d'un limier dont le témoignage avait été déterminant contre l'accusé, et que Mᵉ Guérin avait attaqué avec une violence inusitée.

Le policier oublie presque instantanément la rancoeur qui aurait pu être la sienne, à ce moment-là, pour tendre la main à l'avocat qui venait de le charger sans quartier et le féliciter à son tour.

L'un des premiers à poser ce geste avait d'ailleurs été le procureur de la couronne, Mᵉ Bruno J. Pateras, qui avait de son côté rempli avec une minutie sans rigueur le rôle véritable du représentant du Ministère Public qui n'a ni cause à gagner ou à perdre, mais une seule chose à faire triompher: la Justice.

Autant Mᵉ Guérin avait attaqué avec vigueur, autant Mᵉ Pateras devait rétorquer avec calme et pondération.

Autant l'avocat de Proulx avait fait appel aux sentiments, autant le procureur de la poursuite tenta de les écarter des débats pour faire appel au froid raisonnement des jurés, à leur conscience.

Dix fois peut-être, au cours de son réquisitoire, il répéta après avoir rappelé un élément de preuve soumis au cours du procès: "Ça messieurs, ce ne sont pas des appels à l'émotion, à la passion, ce sont des preuves. Des faits. En blanc et en noir."

Quant au juge Shorteno, il devait exposer au jury, avec conscience et clarté, et les principes de droit qui devaient les guider, et les faits qui ressortaient de la preuve, selon lui, mais en avertissant chaque fois les jurés que son opinion personnelle, sur tel ou tel élément de preuve, pouvait être rejetée par eux, s'ils y trouvaient la moindre raison légale de le faire.

C'est l'Halloween, dans les rues...

Dès le début de ses remarques, par ailleurs, le procureur de Proulx avait fait remarquer que si la preuve de la Couronne reposait principalement sur le témoignage d'un individu qu'il qualifia tour à tour de "petit monsieur", de crapule et de "crapulard", la défense, elle, n'était fondée que sur les dires d'honnêtes gens sans dossier, à la vie normale, aux moeurs irréprochables.

Et de demander aux douze jurés: -Qu'est-ce que vous allez choisir? La version d'un bandit qui n'a jamais gagné honnêtement sa vie ou celle de gens qui n'ont jamais eu maille à partir avec les lois de leur pays.

Il soutint alors que si Proulx n'avait jamais donné à ses confrères policiers la version qu'il a exposée en Cour, et dans laquelle il indiquait le témoin Talon comme celui qui lui avait remis les argents trouvés dans son sous-sol, c'est qu'au moment de son arrestation, ces derniers l'avaient traité comme un véritable goujat, et lui avaient même intimé l'ordre de se taire.

Sur les lieux mêmes de son arrestation, d'ailleurs, il n'a pas caché qu'il était venu chercher de l'argent au motel Jacques-Cartier. C'est donc qu'il ne se sentait pas coupable, tout comme il ne s'est pas senti coupable, lorsqu'il a déposé une partie de l'argent à la Caisse d'économie des policiers.

Il dit donc aux jurés que s'ils ont le moindre doute raisonnable, et s'ils n'en font pas bénéficier l'accusé, eh bien, ils ne seront désormais plus à l'aise avec leur conscience.

Soulignant qu'une erreur judiciaire avait failli se produire, la semaine précédente, en marge d'une affaire survenue à St-Lambert, Me Guérin déclara que c'était cela qu'il fallait éviter à tout prix. Car une telle erreur peut être sans retour, irréparable.

76

Et, dans une péroraison fort dramatique, il rappela que, dans quelques heures, dans les rues de Montréal, ce serait soir d'Halloween.

Pour les Proulx, dit-il, ce peut être l'Halloween le plus tragique ou le plus réconfortant de leur vie.

"Je vous demande donc, au nom de la Justice, d'arracher du visage des trois enfants Proulx, le "masque" de honte et d'ignominie qui peut être leur pour le reste de leur existence, et de renvoyer dans son foyer ce père exemplaire et ce policier sans reproche qui est resté en prison, pendant dix-sept mois. Et dix-sept mois qu'on ne pourra jamais replacer dans son existence."

Talon, corroboré 31 fois

Me Bruno Pateras, lui, veut volontairement être plus calme. Et il débute en déclarant que si Talon, son témoin-clé, n'est évidemment pas un "ange", il n'en a pas moins dit la vérité lorsqu'il a déclaré que le sergent Proulx était allé le reconduire tout comme un autre membre de la bande, le soir du vol géant de la rue Lagauchetière.

Et pour démontrer que la vérité ne sort pas uniquement de la bouche des honnêtes gens, il énumère quelque 33 points sur lesquels d'autres témoins de la Couronne ont corroboré ce témoin que l'on avait qualifié de taré, à cause de ses antécédents.

Les points les plus incriminants?

L'appel que Proulx va faire hors de son domicile, le soir de son arrestation, alors que, de son propre aveu, son épouse est malade; les démarches qu'il fait selon ses dires pour envoyer Talon aux États-Unis; son exclamation, ou plutôt, ses exclamations contradictoires, à la fois lorsqu'on l'arrête au motel

Jacques-Cartier et lorsqu'on découvre l'argent dans son sous-sol, etc., etc.

Repassant ensuite brièvement les témoignages de la défense, Me Pateras dit que d'aucuns étaient intéressés d'autres peu dignes de créance, et il souligne finalement que l'alibi constitué par la soirée chez les Lacombe n'en est pas un, à la fin.

Et tout simplement parce que Proulx a pu se rendre sur la scène du partage du butin, chez "la Grande Andrée", après avoir quitté le domicile de l'ancien Frère des Écoles chrétiennes.

Et ce à 2 h, 3 h ou 4 h du matin.

La seule version qui tienne, donc, c'est celle de Talon, telle que corroborée.

Rappelant encore une fois que l'émotion ne doit avoir aucune part dans leur verdict, Me Pateras termine avec la même sobriété qui a caractérisé tout son exposé.

"Messieurs, dit-il au jury, il y a des choses bien pitoyables dans la vie. Mais la pitié n'a pas de place, dans cette Cour. Vous avez juré de rendre justice selon la preuve faite devant vous. Et c'est uniquement ce que vous devez faire."

"Si vous croyez vraiment que Proulx est innocent, acquittez-le! Mais si vous croyez qu'il est coupable, dites-le sans peur, sans crainte, sans émotion et sans passion. C'est votre devoir."

Les erreurs peu fréquentes

La "charge" du juge Shorteno, encore une fois, doit être d'une grande clarté.

Il devait insister particulièrement sur le fait que, pendant 17 mois, Proulx n'avait jamais donné d'autres explications que celles incohérentes du 9 juin au sujet de la possession de l'argent, même s'il a été mis en présence d'officiers supérieurs dans lesquels il a dit avoir eu pleinement confiance.

"Est-ce normal, demanda alors le président des assises." Il les mit également en garde contre la peur d'une erreur judiciaire, telle que soulevée par l'avocat de la défense.

"Vous n'avez pas à vous occuper des hypothèses fantaisistes et des erreurs possibles. Celles-ci ne se produisent que très peu souvent."

En fin de soirée, par ailleurs, un retour des jurés dans la salle d'audience devait démontrer que le silence de l'accusé pendant 17 mois, a pesé lourd dans leur décision.

Les douze pairs de Proulx ont en effet voulu savoir si, au moment de son examen volontaire, en juillet 1964, il n'aurait pas pu donner la version qu'il a donnée vendredi dernier.

Le juge a évidemment répondu qu'il aurait pu le faire même s'il n'y était aucunement obligé par la loi.

Mais les douze hommes se sont apparemment dits que l'accusé faisait face à la Cour, à ce moment-là, et qu'il n'avait plus raison de cacher plus longtemps son explication.

Et quarante-cinq minutes plus tard, ils prononçaient le mot fatidique, encore une fois: coupable.

Consulté sur l'heure par son procureur, l'ex-policier n'a cependant pas décidé immédiatement s'il allait interjeter appel du verdict rendu et de la sentence qui sera prononcée vendredi prochain.

(fin des comptes rendus de Léopold Lizotte)

La sentence

Tel que convenu, le 12 novembre 1965, Mᵉ Guy Guérin adresse au président du tribunal des représentations particulièrement dramatiques avant que sentence ne soit rendue. Pour sa part, Mᵉ Pateras représente calmement au Tribunal que l'accusé occupe un poste de confiance et qu'à ce titre, précisément parce qu'il a abusé de cette confiance, il mérite une sentence exemplaire.

Sans faire d'éclat, l'honorable juge Shorteno, tenant compte de la détention préventive de l'accusé, qui est de fait incarcéré depuis le 10 juin 1964, condamne l'accusé à huit ans de pénitencier à compter du 12 novembre.

V- Les événements se précipitent

Comme nous l'avons déjà vu, Maurice Arbic, Gaston Lavoie, Wilfrid Leclerc, René Leduc et Henri Samson ont tous été cités à procès en juillet 1964. Ils sont toujours incarcérés. Pour sa part, Benoît Doucet a été cité à son procès le 6 novembre 1964. Il est lui aussi incarcéré. Pour leur part, Henri Aubry et Pierre Boucher sont incarcérés depuis le 10 septembre.

Mais bien avant que n'ait lieu le procès du sergent Proulx, c'est-à-dire dès l'ouverture du terme de novembre 1964. Des assises criminelles, le procès d'Aubry et de Boucher est fixé au 21 janvier 1965. À cette date, sous la présidence de l'honorable juge François Caron[1], la Couronne procède à l'audition des témoins devant jury. Sont entendus:

> Michel Tamilia, tailleur bien connu, qui a confectionné plusieurs habits tant pour Benoît Doucet que pour Henri Aubry et André Paquette;

---

(1)dont on entendra parler bientôt dans l'émission "Montréal ville ouverte".

Jacqueline Fleurant, policière de la ville de Montréal, et son époux le lieutenant-détective Jean-Louis Langlois qui ont procédé à l'arrestation des deux accusés à l'appartement de la rue Ball à Sherbrooke où habitait temporairement le témoin clé de la Couronne Pierre Talon;

madame Lise Tanvakas, concierge au 3530 rue Masson à Montréal où résidaient et Benoît Doucet et Henri Aubry;

et enfin, un policier de ville de Sherbrooke qui a participé à l'opération.

Pour toute défense, le procureur des accusés, Me Dollard Dansereau, fait entendre et Benoît Doucet et Henri Aubry.

Le même jour, les procureurs de la défense et de la couronne s'adressent aux membres du jury et le président du tribunal commence à donner ses directives aux jurés à 5 h 40 pour les terminer à 6 h 35. Les jurés vont souper et sont de retour en salle d'audience à 9 h 00 avec un verdict de culpabilité. Après quelques remises, les représentations sur sentence ont lieu le 26 mai sauf qu'en cette occasion, Me Dollard Dansereau est remplacé par Me Raymond Daoust.

La sentence de l'honorable juge Caron et que devront purger Aubry et Boucher, est de six ans de pénitencier à compter du 26 mai. La somme de dix mille dollars qui avait été saisie lors de l'opération policière est confisquée au profit de la Couronne.

Le 30 juin 1965, par un coup de filet incroyable, Gilles Lebrun est arrêté par la police de Vancouver. Il est aussitôt remis aux policiers Beaupré et Demonceau qui le ramènent instanter à Montréal. Il comparaît devant le juge Émile Trottier le 5 juillet et subit son enquête préliminaire devant le juge Théberge le 19 juillet. Le prévenu est alors représenté par Me Guy Guérin et Me Ross Drouin. Pierre Talon le "star witness" de la Couronne est entendu ce jour-là de même que le 2 août. Le 14 septembre, la Couronne demande une réouverture d'enquête si bien que la cause est continuée au 23 septembre où là et alors sont entendus Lionel Doutre et Fernando Lemieux, les deux passagers à bord du camion de la poste, Maurice Gobeil et à nouveau Pierre Talon. Le 30 septembre 1965, le juge Théberge cite l'accusé à son procès.

Même si André Paquette[1] est toujours introuvable, compte tenu du fait que cinq des accusés sont incarcérés depuis plus d'un an, que Lebrun vient d'être cité à son procès, que l'un des accusés à savoir Maurice Arbic qui est déjà devant les assises criminelles, fait des siennes pour avoir son procès le plus rapidement possible, la Couronne est acculée au mur et se doit de procéder. Une rencontre a lieu réunissant les procureurs des accusés à savoir Me Daoust, Me Dansereau, Me Guérin, Me Drouin et Me Salois d'une part et l'auteur de ce livre d'autre part afin d'en arriver à une entente quant au juge qui entendra la cause.

On dit souvent qu'un avocat de défense chevronné choisit toujours son juge. À ma connaissance, si cela arrive, ce n'est qu'en de très rares circonstances. Cependant, il est tout à fait dans l'ordre -- du moins c'était dans l'ordre à l'époque -- que l'avocat de la couronne et l'avocat ou les avocats de la défense se consultent afin de pouvoir recommander au juge en chef, le juge en particulier qui sera désigné pour entendre la cause.

---

(1)Nous n'apprendrons son sort que beaucoup plus tard.

À ce stade, je me dois de faire une espèce de tableau des éminents personnages de l'époque parmi lesquels se trouve l'heureux élu.

D'abord, comme il se doit, le juge en chef, l'honorable Édouard Archambault,[1] avant d'accéder à la cour des sessions de la paix, il avait été président de la Commission des liqueurs, ancêtre de la S.A.Q. Il ne siégeait que très rarement en salle d'audience, préférant l'intimité de son immense bureau où il acceptait les plaidoyers de culpabilité et procédait à sentence ou encore fixait des dates d'audition et répartissait le travail entre ses juges puinés.

Pour les autres et par ordre alphabétique, le juge Marc-André Blain[2] dont l'heure de gloire a été l'audition de la cause dite des faux certificats à l'occasion des élections provinciales de 1962.

Le juge Armand Chevrette[3], qui n'était pas toujours l'homme le plus souriant du monde mais qui avait une bonne compréhension de la vie et qui ne donnait pas sa place pour apprécier la crédibilité d'un témoin.

Le juge Armand Cloutier[4] qui avait une allure des plus paternelles mais qui avait la réputation d'être le juge le plus sévère de la région de Montréal. À l'époque où les sentences décernées à un détenu pouvaient comporter un certain nombre de coups de fouet, il était parmi ceux qui utilisaient cette disposition le plus fréquemment surtout dans des cas de violence.

---

(1)Édouard Archambault; décédé à Montréal le 1er octobre 1969 à l'âge de 70 ans.
(2)Marc-André Blain; décédé le 8 juin 1971 à l'âge de 52 ans.
(3)Armand Chevrette; décédé à Outremont le 20 février 1991 à l'âge de 88 ans.
(4)Armand Cloutier; décédé à Montréal le 9 juillet 1978 à l'âge de 84 ans.

Le juge Télesphore A. Fontaine[1], mieux connu sous le nom de Taf, était certes l'un des juges les plus originaux de l'époque. Ardent supporteur du mouvement des Chevaliers de Colomb, il vivait littéralement au Palais de Justice. Sa chambre était un véritable musée comportant tous les accessoires requis par un célibataire y compris plantes, aquariums, etc. Comme les autres juges préféraient s'absenter en fin de semaine, c'est généralement le juge Fontaine qui présidait aux comparutions le samedi matin.

Le juge Marcel "Hank" Gaboury[2] était lui aussi un original. Ancien footballeur, il ne cachait pas sa prédilection pour le club de football les Alouettes dont il était d'ailleurs membre du conseil d'administration et pour qui il avait agi comme conseiller juridique avant de monter sur le banc. À l'instar de son bon ami le juge Almond, il avait lui aussi une conception bien personnelle du doute raisonnable.

Le juge Paul Hurteau[3], ancien shérif du district judiciaire de Montréal, d'une allure plutôt sévère et reconnu pour avoir une prédilection pour la preuve de la Couronne.

Le juge Irénée Lagarde[4], un éminent juriste, auteur d'un traité de droit pénal en collaboration avec l'honorable juge Shorteno dont nous avons déjà parlé, professeur à la faculté de droit de Montréal et particulièrement sévère. Pour des raisons qu'il n'est pas utile de dévoiler ici, il n'aimait pas particulièrement les policiers et plusieurs d'entre eux nourrissaient une crainte salutaire d'aller témoigner devant lui.

---

(1)Télesphore A. Fontaine; décédé à Montréal le 21 novembre 1967 à l'âge de 75 ans.
(2)Marcel Gaboury; toujours vivant.
(3)Paul Hurteau; décédé à Montréal le 19 janvier 1984 à l'âge de 78 ans.
(4)Irénée Lagarde; décédé à Montréal le 28 juin 1989 à l'âge de 83 ans.

Le juge Omer Legrand[1], ancien membre de la Commission de contrôle des permis d'alcool, arrivé sur le banc de façon tardive, s'était rapidement mérité la réputation d'être pour le moins imprévisible.

Le juge Henri Masson Loranger[2], excellent juriste lui aussi. De style aristocrate, il était pour le moins préoccupé par ses enfants dont trois filles qui étaient à l'époque parmi les plus jolies filles de la ville de Montréal. Celui qui avait le privilège d'être invité à l'une des réceptions offertes par le juge Loranger se croyait temporairement au paradis.

Le juge John O'Meara[3] était un fervent catholique. Son attitude en salle d'audience et ses propos durant l'audition d'une cause reflétaient immanquablement ses croyances. Il était lui aussi imprévisible dans ses jugements mais il attirait souventes fois l'hilarité des plaideurs, des journalistes et des curieux par quelques petites manies qu'il avait dont celle de laisser son cigare sur la partie supérieure du cadre de la porte au moment d'entrer en salle d'audience et celle causée par un problème de vision et qui était de prendre des notes sur son rabat. En se penchant pour mieux voir, le rabat s'étendait et se confondait avec le papier.

Le juge Redmond Roche[4], ancien député de Chambly et colonel d'un régiment de réserve. De style tout à fait militaire, il était tout particulièrement soucieux de maintenir dans sa salle d'audience un décorum quasi-britannique.

Le juge Armand Sylvestre[5], de la région de Berthier où il avait continué à habiter après sa nomination et qui en parfait gentil-

---

(1)Omer Legrand; décédé à Montréal le 3 avril 1979 à l'âge de 87 ans.
(2)Henri Masson Loranger; décédé à Montréal le 18 juin 1984 à l'âge de 81 ans.
(3)John O'Meara; décédé à Montréal le 14 avril 1991 à l'âge de 83 ans.
(4)Redmond Roche; toujours vivant.
(5)Armand Sylvestre; décédé à Joliette le 4 novembre 1980.

homme qu'il était, avait beaucoup de difficulté à se résoudre à condamner un justiciable et surtout lui imposer une sentence de longue durée.

Le juge Jean Tellier[1] lui aussi d'allure sévère mais tout à fait humain et un peu timoré à l'idée d'affronter certains avocats de défense.

Le juge René Théberge[2], un véritable pince-sans-rire s'il en fut, qui se plaisait à contrarier les avocats au point de les faire "grimper dans les murs" et qui après coup, dans les corridors ou ailleurs disait aux confrères avec ce regard taquin qu'on lui connaissait: "Enfin, j'tai eu."

Le juge Jacques Trahan[3], dont il a été question dans la préface et qui était surtout reconnu comme étant un bourreau de travail. Il était lui aussi respecté pour la qualité de ses jugements.

Le juge Émile Trottier[4], qui d'une pratique plutôt obscure et nonobstant certains problèmes personnels, avait eu la bonne fortune d'être un ami personnel du tout premier ministre de la Justice dans le cabinet Lesage, l'honorable Georges-Émile Lapalme, ce qui lui a valu d'être nommé magistrat, moyennant certains engagements personnels. En peu de temps, il a été reconnu comme un excellent juriste et il avait la "grâce" d'être respecté tant par les procureurs du Ministère Public que par les avocats de défense. Né à Lanoraie en 1902, il a fait ses études classiques au collège Ste-Marie et ses études de droit à l'Université de Montréal. Il avait été admis au Barreau le 8 juillet 1926, avait été nommé conseil en loi de la Reine le 16 décembre 1960 et juge à la cour des sessions de la paix le 8 mai 1961.

---

(1)Jean Tellier; décédé à Montréal le 29 mai 1977 à l'âge de 77 ans.
(2)René Théberge; toujours vivant - devrait atteindre l'âge de 100 ans le 16 septembre 1991.
(3)Jacques Trahan; toujours vivant.
(4)Émile Trottier; décédé à Montréal le 10 octobre 1983 à l'âge de 80 ans.

Enfin, le juge Claude Wagner[1], qui à l'époque du procès avait quitté le banc pour devenir Solliciteur général et par la suite ministre de la Justice dans le cabinet Lesage.

Le procureur de la couronne et les avocats de défense ont réussi à faire l'unanimité sur le juge Émile Trottier, pour son sens de la justice, et c'est devant lui que le procès des sept accusés du vol du camion de la poste aura lieu.

---

(1)Claude Wagner; décédé à Montréal le le 11 juillet 1979 à l'âge de 54 ans.

Chapitre 4

Le procès

Place au théâtre!

Du théâtre, en salle d'audience! Bien sûr que non.

Devant jury, alors et aujourd'hui, peut-être un peu.

Il serait plus juste de dire: "Un peu de mise en scène."

Que voulez-vous, il faut tenter de mettre les chances de son côté, que ce soit l'avocat de la défense, que ce soit le procureur de la couronne.

À l'intérieur du système de justice que nous connaissons, non seulement, c'est admis, c'est même de bonne guerre.

La preuve est la même mais dans l'interprétation par un jury ou par un juge, la présentation peut avoir une certaine influence.

Si bien que, le lundi 1er décembre 1965, au moment où le juge Émile Trottier monte sur le banc pour entendre la cause, il y a de la dynamite dans l'air. Des dispositions particulières ont été prises pour asseoir les accusés. Des dispositions additionnelles ont également été prises pour permettre aux avocats de la défense d'avoir leurs coudées franches. Le banc est particulièrement impressionnant:

Me Guy Guérin représente Maurice Arbic.

Me Dollard Dansereau, c.r. représente Henri Samson.

M⁰ Jean Salois représente Gaston Lavoie.

Mᵉ Ross Drouin, c.r. représente Gilles Lebrun et René Leduc.

Mᵉ Raymond Daoust, c.r. représente Wilfrid Leclerc et Benoît Doucet.

Et, au tout premier rang, un avocat relativement seul: Mᵉ Gabriel Lapointe n'est assisté que du sergent-détective Demonceau. Beaupré est gentiment invité à s'asseoir au premier rang des banquettes réservées au public. Le tout Montréal des journalistes est là. Leon Levenson de la *Gazette*, Roger Gill du *Montréal Matin* et en tandem Maurice Morin et Léopold Lizotte du journal *La Presse*. Les avocats de la défense sont armés jusqu'aux dents. Ils attendent Pierre Talon. Ils ont relevé contradictions, traitements de faveur, implications dans d'autres crimes; en bref, on projette de le discréditer au point où sa déposition devra être écartée par le juge. La Couronne ne le fera entendre que beaucoup plus tard.

I-La preuve du Ministère Public

À la grande surprise des avocats de défense et même du juge, le Ministère Public appelle à la barre comme premier témoin mademoiselle Gabrielle Gagné. Elle est propriétaire d'un immeuble qui porte le numéro civique 7181 rue St-Dominique et qui comprend un logement qui lui porte le numéro 7183 de la même rue. Le logement a été loué à Maurice Arbic du 31 octobre 1962 au 30 avril 1963 à raison de 100 $ par mois. Il réside à cet endroit avec Rollande Ostiguy. À l'expiration du bail, Arbic quitte suite à une querelle et cette dernière renouvelle le bail pour elle-même du 1er mai 1963 au 30 avril 1965. Elle est donc locataire des lieux à la date du vol le 31 mars 1964. Le bail est produit sous la cote P-1. On assiste alors à une levée de boucliers des avocats de la défense. On pourrait dire: un véritable tollé. Comment peut-on présenter une preuve pareille relativement à un vol main armée survenu le 31 mars 1964? La Couronne réplique calmement; le juge rejette l'objection des avocats de défense. Et le Ministère Public de poursuivre dans la même veine. On aura beau dire et beau faire; c'est un peu comme le pilonnage des troupes de Saddam Hussein par les forces de la coalition. Quelques cibles sont atteintes chaque jour, et en bout de ligne l'effet est absolument dévastateur pour les lignes défensives.

Deuxième témoin: Gérard Laramée. En sa qualité de surintendant d'un immeuble situé au 2065 de Maisonneuve, il a fait signer un bail à un individu du nom de Maurice Arbic concernant l'appartement 305, pour la période allant du 1er mai 1963 au 1er mai 1964. Le loyer est de 112,50 $ par mois. Le bail est produit comme pièce P-2. Il s'agit d'un petit meublé comme dirait Aznavour et la liste des meubles apparaît à l'endos du bail. En juillet 1963, il quitte le 306 pour le 706 moyennant une augmentation de 7,50 $ par mois ce qui signifie que le loyer mensuel passe de 112,50 $ à 120 $. Durant la période, monsieur Laramée a également fait signer un bail à un autre individu sous le nom de Frederich Clark que le témoin reconnaît parmi les sept accusés et qui est nul autre que Wilfrid Leclerc. Le contrat de louage a trait à l'appartement 606 et le loyer mensuel est de 117,50 $. Cet appartement est également meublé. C'est la pièce P-3.

Fait en apparence anodin, les deux locataires quittent les lieux le ou vers le 30 avril 1964.

Troisième témoin: Émile Pichette. Il a tout simplement remplacé Gérard Laramée comme surintendant et il apporte quelques précisions au témoignage précédent.

Et à compter de juillet 1963, l'appartement d'Arbic (706) est situé juste au-dessus de l'appartement de Frederich Clark (606).

Quatrième témoin: Jean-Paul Pigeon. Il est propriétaire d'un duplex situé au 6661 boulevard de la Loire à Ville d'Anjou et le 26 avril 1964, il en a loué le rez-de-chaussée à Maurice Arbic pour une période de deux ans à raison de 150 $ par mois. Il n'y a pas encore de meubles. Arbic y habite avec Carmen Marin. Elle sera appelée à jouer un rôle important, plus tard.

Cinquième témoin: Normand Larivière. Monsieur Larivière exerce le métier de poseur de tuiles et de tapis à l'emploi de Montreal Floor Covering. Le 13 mai 1964, il a posé 84 verges de tapis au 6661 de la Loire dans le salon, le passage et trois chambres à coucher, moyennant la somme de 875,95 $. Un chèque du même montant lui est remis par mademoiselle

Carmen Marin. Les deux factures sont produites comme pièce P-5.

Sixième témoin: Normand James. Monsieur James est marchand de meubles pour le compte de Magasin Léger Ltée, 7212 rue St-Hubert. Le 11 mai 1964, il a vendu à Maurice Arbic un nombre impressionnant de meubles pour la somme de 1 268 $. La vente est faite à l'ordre de Carmen Marin et un chèque pour le plein montant est remis en paiement, le jour de la vente. C'est la pièce P-6.

En particulier, il donne une description des meubles qui sont achetés en cette occasion: une commode, un lit, un ensemble de matelas, un téléviseur Electrohome avec des satellites, des haut-parleurs, un mobilier de salon, un mobilier de cuisine, un poêle (Tappan-Gurney), un réfrigérateur (Gibson), une lessiveuse et une sécheuse (McClary).

Septième témoin: Andrew Adam. Il est gérant des ventes chez Montreal Floor Covering et il ne fait qu'apporter certaines précisions au témoignage antérieur de Normand Larivière.

Huitième témoin: Yvonne Denis. Elle est marchande de tissus. Au printemps 1964, elle a agi comme intermédiaire entre Carmen Marin et Georges Courey & Fils Limitée à l'occasion de l'achat de lingerie et de draperies pour un total de 620,67 $.

La dernière d'une série de trois factures au montant de 432,02 $ est à l'ordre de monsieur et madame Herveh, 6661 de la Loire, Ville d'Anjou (Pièces P-9, P-10 et P-11).

Neuvième témoin: Gabriel Lussier. Ce témoin est gérant de l'entreprise Bedroom Suites Limitée mais comme il n'a aucune connaissance personnelle des transactions qui seraient intervenues entre Windsor Furniture et une dame Carmen Morin (sic) 6661 boulevard de la Loise (sic), Ville d'Anjou, les 15 mai, 2 juin et 18 juin 1964, il est vite écarté. Un témoin aussi imprécis risque d'affaiblir la qualité de la preuve. Voici la description des meubles achetés à cet endroit: un mobilier de chambre, un matelas, un sommier, une peinture, deux oreillers, un bureau, un miroir, un lit continental, une table de salon avec un chesterfield et deux chaises, une peinture, une lampe, une table à café et une table de bout.

Les dixième et onzième témoins à savoir L.L. Goudreault et Marthe Albert sont à l'emploi de Bedroom Suites Limitée au 3520 boulevard St-Joseph et établissent que vers le 15 mai 1964, une vente importante a été faite à monsieur et madame Maurice Arbic. Les trois factures préparées par madame Albert et produites sous la cote pièce P-12, totalisent 2 407,61 $.

Le témoin suivant, Louis Patenaude, vient confirmer que le montant des trois factures a été payé en espèces. Comme question de fait, les espèces ont été remises par un certain Robert Émilien Gignac, personnage dont le Québec, le Canada et le monde entier auront l'occasion d'entendre parler dans les mois qui vont suivre, relativement à l'affaire Rivard.

Récapitulation:

Entre le 31 mars et le 30 juin 1964, une période de trois mois, Maurice Arbic a quitté son petit meublé de la rue de Maisonneuve pour aménager boulevard de la Loire, s'engageant ainsi à verser une somme de 1 800 $ au cours des prochains douze mois. De plus, il a fait les achats précédemment décrits.

Tapis 875,95 $

Meubles (Magasin Léger)1 268 $

Lingerie et draperies 620,67 $

Meubles (Bedroom Suites) 2 407,61 $

Total: 5 172,23 $

Pour avoir une meilleure idée de l'importance de la somme, précisons que d'après Statistique Canada, 5 000 $ en 1964 équivaut à 25 258,96 $ en juillet 1991. Rappelons de plus que pour un individu qui n'a pas d'emploi connu, de pareilles dépenses encourues en si peu de temps, peuvent avoir une signification spéciale. Comme le disait récemment le directeur Sangollo du Service de Police de la C.U.M. en marge du vol de lingots d'or à bord d'un avion privé à Dorval: "Un jour ou l'autre, ils vont vouloir dépenser leur argent." Ce n'est pas à proprement parler de la corroboration, mais cela constitue un élément de preuve dont le tribunal devra certes tenir compte. L'usage de noms d'emprunt ou de noms fictifs peut aussi avoir son importance.

D'autant plus que le même phénomène - changement radical dans le mode de vie - se produit dans le cas des six autres accusés. Il devient donc intéressant de dresser ici l'état des dépenses encourues par chacun ou des sommes saisies dans diverses institutions financières au nom de certains des accusés tout en soulignant à l'occasion, l'usage de noms d'emprunt.

Benoît Doucet

Dans le cas de Benoît Doucet, il y a les habits dont nous avons parlé au chapitre troisième-II. De plus, la preuve a révélé que le 1er mai 1964, il a loué l'appartement 26 du 3540 rue Masson, sous le nom de Paul Dupuis. Il est identifié en salle d'audience par Lise Tamvakos, assistante gérante du bureau de location. L'occupant de l'appartement 27 est Henri Aubry qui a été condamné pour avoir offert 10 000 $ à Talon pour qu'il modifie son témoignage à l'enquête préliminaire de Doucet. D'ailleurs on retrouvera le nom de Paul Dupuis plus tard dans la preuve.

Gaston Lavoie

Jusqu'au début d'avril 1964, Gaston Lavoie occupait l'appartement 4 du 6969 Papineau, un autre petit meublé, à raison de "dix-huit piastres" par semaine. C'est l'expression du témoin Alphonse Vignault. Ce dernier identifie l'accusé qu'il connaît sous le nom de Gérard Lavoie.

Le 2 avril 1964, il signe un bail sous le nom de Gaston Savoie pour l'appartement 502 du 8325 boulevard l'Acadie à raison de 140 $ par mois plus 50 $ de dépôt pour les meubles. Il est identifié positivement par le propriétaire de l'immeuble Marcel Loranger. Ce dernier deviendra par la suite, un de mes bons amis.

Pour des raisons qui n'ont jamais été tirées au clair, le 24 avril 1964, Lavoie loue un autre appartement le numéro 418 du 1420 rue Tower sous le nom de Maurice Roy. Il donne comme adresse le 1825 St-Denis et comme employeur le Lanza Steak House du 290 Ste-Catherine est. Le concierge Roger Rollin n'a aucune hésitation à identifier Gaston Lavoie. S'ensuit en contre-interrogatoire une forte querelle dirigée par Jean Salois et Raymond Daoust au sujet du procédé d'identification. Monsieur Rollin reste impassible.

Deux employés de la succursale 360 Ste-Catherine est de la Banque Royale, monsieur Ernest Bachand et madame Georgette Saint-Cyr viennent ensuite établir que le 6 avril 1964, le coffret de sûreté numéro 272 a fait l'objet d'un contrat de location sous la signature de Gaston Savoie. Le fait pour Lavoie d'utiliser ce nom d'emprunt n'est pas particulièrement brillant puisqu'il a déjà un compte portant le numéro 63 à la même succursale, sous son vrai nom et que la référence apparaît au contrat de location. Il donne comme adresse, le 6969 Beaubien, appartement 4. Le compte numéro 63 nous indique que Gaston Savoie habite le 6969 Papineau, appartement 4 ou le 708 Champagneur et son occupation est celle de vendeur de bijoux. À l'examen du relevé bancaire, on relève un dépôt effectué le 6 avril 1964 au montant de 1 250 $. De plus, lors d'une perquisition pratiquée le 20 avril de la même année par le sergent-détective Marcel Allard, on a trouvé à l'intérieur du coffret, trois enveloppes contenant l'une, 50 billets de 100 $, une deuxième contenant 50 billets de 100 $ et une troisième, contenant treize billets de 50 $ pour un total de 10 650 $.

Appelé comme témoin pour produire l'enveloppe numéro 352 contenant 10 650 $ déjà produite lors de l'enquête prélimi-naire du 2 juin 1964, Jean Cabana, un employé du greffe de la paix vient de s'apercevoir que l'enveloppe scellée a été ouverte et qu'il ne s'y trouverait plus que 8 600 $. Il manque donc 2 050 $. L'auteur de ce vol est un autre employé du greffe qui sera subséquemment accusé, qui enregistrera un plaidoyer de culpabilité et qui perdra son emploi.

Gilles Lebrun

Il s'avère que la voiture qui a été criblée de balles à Pointe-aux-Trembles le 7 juin 1964 et dont le conducteur a été identifié positivement par le sergent-détective Demonceau comme étant Gilles Lebrun, portait licence ontarienne numéro 229-990, enregistrée au nom de Gérard Bouchard, 71 rue Winchester, appartement 1, Toronto. Le témoin Gilbert Rioux qui habite cette adresse, vient déposer qu'il ne connaît personne du nom de Gérard Bouchard. D'après le sergent Jacques Lacerte de la fourrière municipale, au moment du procès, la voiture n'est toujours pas réclamée. L'enregistrement (P-65) est trouvé par le sergent-détective Beaupré au 4289 rue Naples, à savoir la résidence de Wilfrid Leclerc.

René Leduc

D'après madame René Petitclerc, employée d'une conciergerie située au 6680 des Érables elle a loué l'appartement 5 de septembre 1963 à août 1964 à un certain René Bolduc. Elle identifie René Leduc. Le loyer est de 90 $ par mois. Émilien Aubert est propriétaire d'un chalet situé au 171 rue Beaulieu à Val Morin. Il l'a loué du 28 avril au 15 septembre moyennant la somme de 600 $ à un certain René Bolduc qu'il identifie comme étant René Leduc. Un dépôt de 100 $ en espèces a été payé le 21 avril et le solde de 500 $ en espèces également été payé le 29 avril.

Gaston Pinard est l'époux de Rita Bolduc qui est la soeur de Thérèse Bolduc, compagne de René Leduc. Il a visité ce dernier à son chalet de Val Morin, en plusieurs occasions et surtout le dimanche, au cours de l'été 1964. Il y a fait la connaissance de Gilles Lebrun et d'André Paquette. Il précise qu'avant l'été 1964, René Leduc n'avait pas de voiture alors que cet été-là il avait une Thunderbird de l'année.

Henri Samson

Dans son cas la preuve est très simple. Un affidavit signé par lui est produit sous la cote P-49. Cet affidavit se lit comme suit:

"Je, Henri Samson, présentement domicilié à Montréal, au 1191 de la rue Sanguinet, dûment assermenté, dépose et dis:

1. Je suis le propriétaire de la somme de 10 000 $ plus ou moins, que j'avais mise dans le coffret de sûreté loué par moi sous le nom de Maurice Dupont, un alias, avec adresse donnée à 1450 de la rue Stanley, tel coffret de sûreté portant le numéro 13, à la National Trust Company, au 225 ouest, de la rue St-Jacques.

2. Je suis le propriétaire de la somme de 10 000 $ plus ou moins, que j'avais mise dans le coffret de sûreté loué par moi sous le nom de Paul Robert, un alias, avec adresse donnée à 1450 de la rue Stanley, tel coffret de sûreté portant le numéro 2009, au Crown Trust, au 393 de la rue St-Jacques."

De plus, Léopold Lahaie, propriétaire de Lahaie Automobile Ltée a vendu, le 19 juin 1964, une voiture de marque Ford 1963 à Henri Samson, 1191 rue Sanguinet, moyennant la somme de 3 150 $ après déduction d'une allocation d'échange de 1 275 $ pour une Buick 1959. Le solde de 1 875 $ a été payé à raison de 300 $ en espèces, et le solde de 1 575 $ au moyen d'un chèque de la compagnie Ridgeway Finance.

Wilfrid Leclerc

Jean-Henri Laviolette est gérant depuis 1962 de la succursale Papineau-Mont-Royal de la Banque Royale. Le 14 avril 1964 un compte est ouvert à cet endroit au nom de Boutique Georgette Inc. Le même jour, un dépôt de 2 500 $ est effectué suivi d'un dépôt de 500 $ chacun les 11 et 19 mai pour un total de 3 500 $. Les intéressés sont: Georgette Dubeau, Wilfrid Leclerc et une dame Béatrice Lefebvre. Monsieur Joseph Marcil est propriétaire d'une maison située au 4289 rue Naples à St-Léonard. En début de mai 1964 il l'a louée à Wilfrid Leclerc pour une période d'un an à raison de 140 $ par mois. La maison n'est pas meublée. En quelques occasions, le loyer est payé en "liquide".

Le 1er mai 1964, Normand James, dont nous avons déjà parlé et qui est marchand de meubles pour le compte de Magasin Léger Inc., a fait une première vente à l'ordre de Wilfrid Leclerc, 4289 rue Naples à St-Léonard pour un montant de 199,28 $ et une deuxième vente, le 8 mai pour un montant total de 3 954,86 $. Dans ce dernier cas, un dépôt de 2 000 $ a été remis en espèces le jour de la vente et le solde de 1 954,86 $ a également été payé en espèces, lors de la livraison.

"Les garages"

Madame Carmen est propriétaire d'un garage situé à l'arrière du 6333 Iberville.

Ce garage a été loué à l'automne 1963 à un certain Paul Trudeau qu'elle identifie: Henri Samson.

André Boileau habite au 6581 Louis Hémon. Un garage situé à l'arrière de la maison a été loué en début de 1964 à un autre Paul Trudeau. Après avoir demandé à l'un des accusés d'ôter sa main de devant son visage, il identifie celui qu'il connaît sous le nom précité: c'est Maurice Arbic.

Nicholas Humnicki est propriétaire d'une maison située au 6681 - 2ième avenue, Rosemont. Un garage situé à l'arrière a été loué en début de 1964 à un autre Paul Trudeau. Malheureusement après avoir fait le tour de la salle d'audience, il ne peut identifier le Paul Trudeau en question.

Estelle Shaigetz habite le 6570 des Écores et en septembre 1963 jusqu'en mai 1964, elle a loué le garage situé à l'arrière de la maison à un monsieur Guy Bélanger. Il était très jeune et elle ne l'a vu que deux fois. Par la suite, c'est un monsieur plus âgé qui venait. Elle identifie ce dernier: Henri Samson.

Johnny Lang

Le lecteur se rappellera que dans les jours qui ont suivi le vol du camion de la poste, tous les accusés devaient se rapporter fidèlement, tous les soirs à celui qu'on appelait le "contact" et qui était Freddy Cadieux. Pour des raisons qui n'ont jamais été élucidées mais possiblement par mesure de prudence, Freddy Cadieux est remplacé à un certain moment par un individu du nom de John J. Lang. Celui-ci donne son occupation comme étant celle de journalier, il habite au 5117 rue St-Laurent et il est âgé de cinquante-neuf ans et demi. Il connaît particulièrement bien l'accusé absent André Paquette puisque ce dernier est un bon ami de la soeur du témoin, Germaine Lang. Son témoignage n'est rien de moins que très ardu, il se dit malade, on a de la difficulté à l'entendre et il est bien évident qu'il est absolument terrorisé. Il a accepté d'ouvrir un coffret de sûreté pour le compte d'André Paquette mais il ignore absolument tout du contenu des sept ou huit enveloppes qu'il y a déposées. Enfin, après de longs détours, il finit par admettre ce qui suit:

Q. Alors, nous en étions à la conversation que vous auriez eue avec André Paquette au sujet de téléphones. Voulez-vous nous dire à quel moment, sans entrer dans la conversation, à quel moment cette conversation-là aurait eu lieu par rapport à la question des coffrets de sûreté?

R. J'ai eu des téléphones, il a jamais été question du coffret de sûreté pour l'amour des téléphones.

Q. C'est pas ça que je vous demande, je répète ma question. Vous nous avez dit ce matin que vous aviez eu une conversation avec André Paquette au sujet de téléphones?

R. Oui.

Q. Cette conversation-là quand a-t-elle eu lieu par rapport à la location des coffrets de sûreté, est-ce après, ou avant ou dans ce temps-là que vous avez eu une conversation avec André Paquette au sujet de téléphones?

R. Je crois que c'est après.

Q. Vous croyez que c'est après?

R. Oui.

Q. Après la location des coffrets de sûreté.

R. Oui.

Q. Longtemps après?

R. Franchement là, je suis indécis de vous répondre là-dessus.

Q. Combien de temps? Est-ce que c'est une question de jours, de semaines ou de mois, après la location des coffrets de sûreté?

R. Je crois que ça devait aller un mois après, je crois.

Q. Un mois après?

R. Je suis pas officiel, je vous dis que c'est à peu près mettons quinze jours ou bien un mois, là je sais pas combien.

Q. Maintenant la suite, la suite de cette conversation que vous avez eue avec André Paquette, est-ce que vous avez reçu chez vous des téléphones?

R. Oui.

Q. Alors, à la question que je vous ai posée, vous avez répondu oui? Maintenant, voulez-vous dire à la Cour de quelle façon les personnes qui vous téléphonaient s'identifiaient et je veux dire est-ce que ces personnes-là s'identifiaient par leur prénom ou par leur nom au complet?

R. Par leur prénom.

Q. Maintenant pouvez-vous nous dire, Monsieur Lang, combien de temps après cette conversation avec André Paquette avez-vous commencé à recevoir des téléphones?

R. Je crois trois jours après.

Q. Trois jours après. Vous receviez ces téléphones-là à quel moment de la journée?

R. Le soir.

Q. Le soir? À quelle heure le soir?

R. De neuf heures et demie à onze heures.

Q. De 9 h 30 à 11 h 00, est-ce que c'était tous les soirs?

R. Eh oui!

Q. Tous les soirs pendant combien de temps?

R. Je crois que ç'a duré 17 ou 18 jours je crois.

Q. Quels étaient les prénoms qui vous étaient donnés au téléphone par ceux qui vous appelaient le soir entre 9 h 30 et 11 h 00?

R. Il y avait monsieur Paquette, ça c'était son prénom, André. Il y avait René Leduc.

Q. Alors à date vous avez donné... (au sténographe) voulez-vous relire la réponse du témoin?

R. "Il y avait monsieur Paquette, ça c'était son prénom, André. Il y avait René Leduc." Objection - "Après ça il y avait Fred, il y avait Gaston et il y avait Wilfrid."

Q. Fred, Gaston, Wilfrid, ensuite, est-ce qu'il y en avait d'autres, Monsieur Lang?

R. Je crois qu'il y en avait six.

Q. Est-ce qu'il y en avait un autre?

R. Je pense qu'il y avait Pierre.

Pierre Talon

Le 15 décembre, en début de journée, Pierre Talon le "star witness" de la Couronne est appelé comme témoin. Il relate dans les moindres détails ses rencontres en début d'été 1963 avec Gilles Lebrun. D'abord son appartement de la rue St-Denis, ensuite au restaurant Miss Villeray où là, il y avait André Paquette, René Leduc, Benoît Doucet, Maurice Arbic, Fred Leclerc et Sam Samson. Ensuite à l'appartement de Fred Leclerc et l'appartement de Rollande Ostiguy avec Samson. Chez cette dernière qui était couturière à ses heures, il se faisait faire une soutane. Ces rencontres avaient lieu, le plus souvent, chez Fred Leclerc. De temps en temps, chez Leduc, sur la rue des Érables. Il était question du vol d'un camion de la poste. On passe ensuite aux préparatifs. On examine les lieux. Le départ du camion du bureau de poste et le trajet suivi. On vérifie le fonctionnement des "walkie-talkie". L'endroit surveillé est situé sur la rue Lagauchetière à l'entrée des camions de malle, en dessous du tunnel - le trajet de la rue Lagauchetière. Achat d'un premier camion avec l'aide de Maurice Gobeil, modifications à la boîte pour qu'elle soit bien fermée.

L'autre camion, le camion Métro avec portes coulissantes, dont Sam Samson avait le contrôle. Leclerc et Doucet s'étaient chargés d'obtenir une automobile. Ça devait être une auto volée. L'obtention d'armes - il avait été décidé que seulement deux des gars seraient armés mais finalement à part Lavoie tous avaient des armes. La location des garages - on avait tous accès à des garages - un autre camion, un panel vert avait été volé à Areno Balsery. La dernière rencontre, pas longtemps avant le 31 mars, chez Leclerc. Ils étaient tous là sauf Paquette. "On convient d'une date. On devait se rencontrer sur la job chacun avait sa job à faire."

Q. Alors quand vous dites que vous aviez chacun vos responsabilités, voulez-vous dire exactement en quoi consistait la responsabilité de chacun?

R. Moi, je suis descendu avec Lebrun.

Q. De quelle façon?

R. Dans le camion bleu, à portes coulisse. On s'est rendu au coin de Laurier et St-Dominique là, on a embarqué Paquette et Leduc avec nous autres. Après, on s'est rendu sur la rue Lagauchetière. On a été se placer en arrière de Samson.

Q. Est-ce que j'ai bien compris, Monsieur Talon, que dans le camion avec portes à coulisse, il y avait Lebrun?

R. Lebrun.

Q. Leduc?

R. Leduc.

Q. Paquette?

R. Paquette.

Q. Vous?

R. Oui, Votre Honneur.

Q. Est-ce-qu'il y avait quelqu'un d'autre à part ça?

R. Un coup qu'on a été rendu sur la rue Lagauchetière, Leclerc est venu embarquer dans notre camion.

Q. Est-ce qu'il était convenu de procéder de cette façon-là avant la journée du vol?

R. Oui, Votre Honneur, c'était convenu.

Q. Et la façon, c'était votre responsabilité à vous et ceux dont vous venez de parler?

R. Oui, Votre Honneur.

Q. Maintenant c'était pour un premier camion?

R. Oui, Votre Honneur.

Q. Le deuxième camion, est-ce que quelqu'un en particulier avait été assumé à la conduite de ce camion-là?

R. Lequel?

Q. Enfin, vous avez dit qu'il devait y avoir trois (3) camions en tout?

R. Samson en chauffait un, puis Lavoie en chauffait un.

Q. Quelle était la position que devait prendre Samson?

R. En avant.

Q. En avant?

R. Oui, Votre Honneur.

Q. Quelle était la position que devait prendre Lavoie?

R. En arrière.

Q. Quelle était la position que devait prendre le camion dans lequel vous étiez, vous?

R. Nous autres, on était entre les deux.

Q. Entre les deux?

R. Parké sur la rue Lagauchetière.

Q. Et qui conduisait le camion dans lequel vous étiez?

R. Gilles Lebrun.

Q. Est-ce qu'à part ça, d'autres responsabilités avaient été accordées ou avaient été données à certains autres membres du groupe?

R. Doucet, lui, il était "parké" au coin, aux lumières en bas avec le Oldsmobile volé et Arbic était sur le trottoir.

Q. Alors, ce serait sur quelle rue, ça, Monsieur Talon?

R. St-Antoine.

Q. Alors, Doucet, c'était convenu de cette façon-là, devait stationner son Oldsmobile sur la rue St-Antoine?

R. Il y a un petit "parking" sur le coin.

Q. Maintenant est-ce qu'il y avait quelqu'un d'autre qui devait participer au vol?

R. Au vol, on était neuf (9) pas plus.

Q. Si je comprends bien, il y a un certain groupe de personnes que vous avez nommées qui étaient dans le camion à portes coulissantes?

R. Oui.

Q. C'est le camion dans lequel vous-même aviez pris place ou deviez prendre place?

R. Oui, Votre Honneur.

Q. Il y avait en plus Lebrun qui conduisait le camion à portes coulissantes?

R. Oui, Votre Honneur.

Q. Il y avait en plus Samson qui conduisait un autre camion qui devait se placer en avant?

R. Oui, Votre Honneur.

Q. Il y avait Lavoie qui conduisait un autre camion qui devait se placer à l'arrière?

R. Oui.

Q. Il y avait Benoît Doucet qui était dans une Oldsmobile volée sur la rue St-Antoine, près d'un petit terrain de stationnement?

R. Oui, Votre Honneur.

Q. Est-ce qu'il y avait d'autres participants à part de ça?

R. Il y avait Arbic.

Q. Arbic, à quel endroit Arbic devait-il se trouver?

R. Sur le trottoir.

Q. Sur le trottoir, à quel endroit, Monsieur Talon?

R. Près du camion à Samson.

Q. Près du camion à Samson?

R. Sur le coin, vers le coin.

Ce qui précède représente essentiellement le témoignage de Pierre Talon en plus de la narration dont le lecteur aura pris connaissance dans le deuxième chapitre intitulé: "L'enquête policière". Il ne fait aucun doute que si le témoignage de Talon est cru, les accusés auront une côte fort difficile à remonter. Voilà donc la preuve du Ministère public. Voyons voir ce que nous réserve la défense.

II-La défense

Georgette Leclerc

La défense débute le 27 janvier 1966. Le premier témoin appelé par Mᵉ Raymond Daoust pour le compte de son client Wilfrid Leclerc est madame Georgette Dubeau, épouse de ce dernier. Il va bien sûr tenter une preuve d'alibi en prétendant que le jour et à l'heure du vol, le 31 mars 1964 à 19 h 15, son mari et elle vivaient des heures amoureuses puisque c'était leur anniversaire de mariage. De plus, elle prétend qu'avant le dîner à la chandelle au restaurant du motel Le Diplomate, elle et son mari avaient été en consultation avec Mᵉ Gilles Duguay pour les fins de l'incorporation de la Boutique Georgette. Voici l'extrait pertinent:

Q. Ce que je veux vous faire préciser, c'est qu'entre 5 heures de l'après-midi, c'est-à-dire entre 5 heures, 5 h 30, je présume le temps de vous rendre à la Cour et aux appartements Maisonneuve de 5 h 30 de l'après-midi le 31 mars 1964 jusqu'à 8 h 30 du même soir le 31 mars 1964, avez-vous été en compagnie continuellement de votre mari Wilfrid Leclerc qui est devant la Cour?

R. On s'est pas laissé de la soirée.

Q. À compter de 5 heures?

R. Oui, à partir de 5 heures puis toute la veillée.

Q. Vous ne vous êtes pas laissés?

R. Non.

Q. Après être sortis de l'étude de Mᵉ Duguay, vous êtes allés à quel endroit?

R. J'ai été chez ma mère parce qu'on a arrêté là parce que c'était le bureau de l'avocat qui est pas tellement loin de chez maman. On lui a dit ça.

Q. Étiez-vous avec monsieur Leclerc pendant toute la soirée?

R. Oui, puis il a discuté avec mon père de cela, il a discuté qu'on avait été chez l'avocat, que j'avais mis ça à Lingerie Georgette Enregistrée puis que c'était pas correct, qu'il avait été prendre les renseignements.

Q. Vous vous êtes couchés vers quelle heure?

R. Après ça, on a été au Diplomate.

Q. Vous êtes allés au motel Le Diplomate?

R. Oui.

Q. Pourquoi?

R. Souvent il allait faire un tour là.

Q. Pour y prendre une consommation?

R. Oui.

Q. À quelle heure êtes-vous allés là?

R. Je sais que je ne suis pas partie tellement tard de chez papa parce qu'il se lève de bonne heure, je figure que je suis arrivée au motel Le Diplomate vers les 10 h 30 à peu près.

Q. Vous êtes partis du motel Le Diplomate à quelle heure?

R. Mon Dieu, si j'avais su que ça m'avait été demandé j'aurais porté attention, peut-être une heure, une heure et demie du matin, je peux pas dire au juste.

Q. Vous vous êtes rendus à quel endroit?

R. Sur la rue Maisonneuve.

Q. Est-ce que vous avez passé la nuit sur la rue Maisonneuve avec Wilfrid Leclerc?

R. Oui.

Q. Jusqu'au lendemain le premier avril 1964?

R. Oui.

Q. Par conséquent, à compter de cinq heures, cinq heures et demie jusqu'à une heure et trente, vous étiez en sa compagnie constamment et vous avez couché avec lui pendant cette nuit du 31 mars au premier avril 1964?

R. Oui.

Q. Voulez-vous dire à la Cour, Madame Leclerc, si en aucun moment au cours de cette soirée, et ça, je parle à partir de 5 h 30 le soir, si au cours de cette soirée, si en aucun moment monsieur Wilfrid Leclerc s'est absenté pour aller disons à l'extérieur ou s'est absenté de votre compagnie?

R. Non parce que sur la rue Maisonneuve, on était tous les deux ensemble, on a soupé pour aller chez l'avocat, chez l'avocat on était ensemble, chez mes parents on était ensemble, au Diplomate il faisait des farces avec le propriétaire: "Vas-tu me donner des parts, vas-tu me mettre dans la business." Pour nous autres, c'était comme une célébration parce qu'on était propriétaire puis on s'est pas laissé de la soirée, si c'était un autre soir, peut-être mais ce soir-là il peut pas m'avoir laissée parce que j'avais acheté le magasin puis on était ensemble.

Le lecteur pourra s'apercevoir qu'il n'est pas suffisant d'écouter le témoignage principal d'un témoin. Le contre-interrogatoire de ce témoin est tout aussi important. Dans ce cas-ci, quelques extraits de ce contre-interrogatoire auront tôt fait, je l'espère de convaincre le lecteur de cet énoncé.

Q. "Est-il exact, Madame Leclerc, que vous soyez une lesbienne?"

Une levée de boucliers absolument incroyable de la part des avocats de la défense dont Me Daoust bien sûr appuyé par

Mᵉ Guérin. Après ce feu d'artifice, le juge Trottier s'adresse au témoin:

Q. Quelle est votre réponse?

Et le témoin de répondre:

R. C'est oui, j'ai aucun secret à cacher.

Quelques précisions sont apportées à ce sujet:

Q. Cette personne du nom de Rita à laquelle je faisais allusion tout à l'heure, est-ce que vous avez une amie du nom de Rita?

R. J'en ai plusieurs du nom de Rita.

Il importe de souligner que le but de cette série de questions n'est pas d'humilier le témoin mais plutôt de démontrer que son assertion à l'effet que le 31 mars 1964 elle et son mari avaient passé une soirée d'amoureux n'est peut-être pas aussi véridique qu'on serait porté à le croire à première vue.

Par la suite, une autre question tout à fait pertinente est posée par le procureur de la couronne.

Q. Je vous suggère que vous auriez été arrêtée le 18 juillet 1960, que vous auriez été condamnée le 14 octobre 1960?

R. Ça se peut que le procès ait fini là, je m'en rappelle pas.

Q. Vous avez été condamnée pour quoi?

R. Tenancière.

Q. Tenir une maison de débauche, c'est ça?

R. C'est ça.

Q. Est-ce que ce serait la source des revenus dont vous parliez ce matin?

R. Si vous voulez vérifier tous les clubs que j'ai travaillé, ça fait vingt ans que je travaille il y a peut-être une couple d'années entre ça que j'ai pas travaillé, j'ai toujours eu un emploi dans les cabarets.

Fait additionnel intéressant, le procureur de la couronne est en possession de l'enregistrement d'une conversation téléphonique entre monsieur et madame Leclerc ayant eu lieu dans la soirée du 6 juillet 1964, c'est-à-dire le soir même de l'arrestation de Wilfrid Leclerc et certains de ses comparses au motel Le Diplomate. Malheureusement, comme l'écoute électronique était alors illégale, cet enregistrement n'est pas admissible. Cependant, il peut être utilisé pour les fins du contre-interrogatoire. Et voici comment:

Q. Pour le moment, Madame Leclerc, je vais essayer de vous rafraîchir la mémoire d'une autre façon. N'est-il pas vrai qu'au cours de cette soirée-là, au cours de la conversation en question que vous avez eue avec votre mari, votre mari vous a dit: "Y a-t-il quelqu'un qui a appelé?" Et que vous auriez répondu: "Oui, il y a juste Maurice qui a appelé tout à l'heure."

R. Ça se peut fort bien, je ne dis pas oui et je ne dis pas non, ça se peut.

Q. Et c'est par la suite que votre mari aurait dit: "Maurice, ça fait tu longtemps?" Vous auriez répondu: "Il vient juste." Vous souvenez-vous d'avoir dit ça?

R. Ça se peut.

Q. Et votre mari vous aurait dit: "Jase pas sur le téléphone, en cas que quelqu'un appellerait." Et que vous auriez répondu: "Je suis après regarder la télévision." Vous souvenez-vous d'avoir dit ça ce soir-là?

R. Ça se peut la télévision jouait tout le temps, ça se peut que je regardais la télévision.

Q. Vous ne vous souvenez pas en particulier que lorsque votre mari vous a appelée, vous regardiez la télévision?

R. Ça se peut, peut-être que j'étais après faire du ménage aussi.

Q. Par la suite vous auriez dit: "Qu'est-ce que tu veux que je fasse?" Et que votre mari aurait dit: "Je te rappellerai tout à l'heure."

R. Ça se peut.

Q. Lors du second appel plus tard, votre mari vous aurait dit: "Il n'y a pas personne qui a appelé?" Et que vous auriez répondu: "Non, non." Qui est-ce que tu veux qui appelle?

R. (Pas de réponse)...

Q. Alors, la suite, madame, de cette première question que votre mari vous aurait posée, à savoir: si quelqu'un avait appelé, vous lui avez répondu: "Bien, non, qui est-ce que tu veux qui appelle." Votre mari aurait poursuivi en disant: "C'est parce qu'il est arrivé quelque chose." Vous souvenez-vous que votre mari vous aurait dit ça, qu'il était arrivé quelque chose?

R. Non franchement, tout ce que je me rappelle, c'est qu'il m'a demandé de l'argent et pour le passeport, s'il y a eu d'autres conversations, ça se peut.

Q. Ça se peut, mais vous ne vous en souvenez pas?

R. À un moment donné, il m'a demandé de l'argent et le passeport.

Q. Est-ce que par la suite votre mari vous aurait dit qu'il était pour envoyer Freddy à la maison?

R. Oui, je me rappelle de ça.

Q. Lorsque votre mari vous parle de Freddy, il parle de Freddy Cadieux?

R. Sur le coup, je ne savais pas que c'était Freddy et quand il est arrivé à la maison, c'était Freddy.

Q. Quelque temps après la conversation, Freddy est arrivé?

R. Oui.

Q. Vous souvenez-vous si au cours de cette conversation-là, votre mari vous aurai dit: "Tu lui donneras l'argent qu'il y a dans le tiroir." Et que votre mari aurait répondu: "L'argent dans le tiroir." "La cachette". Vous souvenez-vous de ça?

R. L'argent était toujours dans le tiroir, la question de la cachette, je ne me souviens pas.

Q. Vous ne vous souvenez pas d'avoir employé ce soir-là le mot "cachette"?

R. Ça se peut.

Q. Est-ce que par la suite votre mari aurait dit: "Donne-lui mon passeport, dans la petite chose." Il aurait rajouté: "Dans la petite valise noire, donne le bon, donne-lui le neuf." Vous souvenez-vous de ça?

R. Oui, monsieur.

Les autres témoins entendus ne prêtent vraiment pas à conséquence.

L'abbé Yves Tremblay

C'est maintenant au tour de Mᵉ Guérin de présenter sa défense pour le compte de Maurice Arbic. Et quelle défense! Son premier témoin est l'abbé Yves Tremblay, âgé de cinquante-six ans, prêtre-aumônier, domicilié au Pensionnat Saint-Lambert, P. Qué. Vu l'importance de ce témoignage, le voici de façon ininterrompue:

Q. Monsieur l'abbé Tremblay, pouvez-vous dire à quelle date vous avez été ordonné prêtre?

R. En 1934.

Q. Et vous relevez de quel diocèse?

R. St-Jean.

Q. Depuis ce temps-là vous exercez toujours votre aposto-
lat comme prêtre?

R. Comme prêtre, oui.

Q. Actuellement, je comprends que vous êtes aumônier au
couvent de St-Lambert?

R. C'est exact.

Q. St-Lambert, c'est juste en face de Montréal?

R. Oui.

Q. À l'aboutissement des ponts Victoria et Jacques- Cartier?

R. C'est cela.

Q. Le couvent de St-Lambert est sur la rue Riverside
Drive?

R. C'est cela.

Q. De plus, pendant votre carrière de prêtre, vous avez été
au collège de St-Jean?

R. Oui, j'ai été professeur déjà.

(Mlle Carmen Marin entre dans la salle d'audience).

Q. Voulez-vous regarder la jeune fille qui vient d'entrer et
me dire si vous la connaissez?

R. Certainement, c'est mademoiselle Carmen Marin.

Q. Voulez-vous me dire si vous la connaissiez le 31 mars
1964?

R. Ah oui, je la connais depuis plus longtemps que ça.

Q. Depuis combien de temps?

R. Je l'ai connue en 1959 quand elle était serveuse dans un
restaurant.

Photo: Allô Police, collection Bibliothèque nationale du Québec

L'abbé Tremblay, qui a fourni un alibi à l'un des accusés, a été arrêté dans la voiture présumément volée par l'individu qui se serait lui-même servi de la voiture du prêtre pour deux hold-up. (Texte Allô Police.)

Me Gabriel Lapointe, procureur de la couronne

Q. Voulez-vous dire dans quelle circonstance vous l'avez rencontrée?

R. J'allais au restaurant. Cette jeune fille me servait. Je la trouvais bien jeune, elle avait treize ans, de fait. Cela m'a surpris de voir qu'elle servait dans un restaurant à cet âge-là. Comme elle m'a expliqué, j'ai compris qu'elle était orpheline de père et restait avec sa mère, c'est-à-dire sa mère était restée veuve avec sept enfants, c'était une nécessité pour elle de travailler. C'est ce qui avait attiré mon attention vers elle. Je l'ai rencontrée quelques fois, c'est comme cela que je l'ai connue.

Q. Alliez-vous souvent manger à ce restaurant?

R. Oui, occasionnellement. Dans ce temps-là j'étais curé à St-Constant. Quand je venais à Montréal, j'allais prendre un café, une consommation.

LA COUR:

Q. À quel endroit ce restaurant-là?

R. Papineau et Ontario, Restaurant Beaudry.

Mᵉ GUY GUÉRIN:

Q. Connaissez-vous monsieur Beaudry, qui est de Longueuil, le propriétaire?

R. Non, je n'ai jamais été...

Q. Connaissiez-vous, le 31 mars 1964, Maurice Arbic?

R. Maurice Arbic, oui, je l'avais rencontré déjà.

Q. L'aviez-vous rencontré avant le 31 mars 1964?

R. Oui, avant le 31 mars.

Q. Voulez-vous regarder dans la Cour et me dire si vous le reconnaissez?

R. Maurice Arbic, c'est le troisième de la droite (indiquant l'accusé Maurice Arbic).

Q. Voulez-vous me dire si le 31 mars 1964, vers sept heures, sept heures et quinze, vous avez eu l'occasion de rencontrer Maurice Arbic?

R. Oui, absolument, je l'avais fait venir avec son amie.

Q. Était-ce à votre bureau ou ailleurs?

R. À mon bureau, au pensionnat, j'ai un bureau privé au pensionnat, je les ai reçus là.

Q. Voulez-vous me dire, au meilleur de votre souvenir, vers quelle heure vous avez vu Maurice Arbic et à quelle heure vous avez quitté Maurice Arbic ou Maurice Arbic vous a quitté?

R. Vers sept heures et quinze. Je leur avais donné rendez-vous pour sept heures. Ils sont arrivés vers sept heures et quart. Ils sont restés à peu près une heure. Je devais m'absenter vers neuf heures.

Q. Ils auraient été avec vous le 31 mars de sept heures et quart à huit heures et quart environ?

R. Environ.

Q. Voulez-vous m'expliquer comment il se fait que vous vous souvenez d'une manière particulière du 31 mars 1964?

R. Au début de l'année 1964, j'étais en trait de faire des emplettes chez Dupuis Frères, quand une jeune fille m'aborde. Sur le coup je ne l'ai pas reconnue. Les filles ça change tellement de couleur de cheveux et de toilette. Je ne l'ai pas reconnue. Elle s'est nommée et elle m'a rappelé qu'elle était serveuse chez Beaudry. Je lui ai dit: "Certainement que je te connais, Carmen, je me rappelle de toi." Je ne l'avais pas revue depuis qu'elle avait quitté chez Beaudry. Elle dit: "Je veux vous présenter mon fiancé." "C'est correct." Elle me présente Maurice Arbic qui l'accompagnait.

Q. C'était en janvier 1964?

R. À peu près.

Q. Chez Dupuis Frères?

R. Chez Dupuis Frères.

Q. C'est bien Maurice Arbic que vous avez identifié tout à l'heure?

R. Absolument.

Q. Qu'est-ce qui s'est passé?

R. Je l'ai fait causer, je lui ai demandé ce qu'elle faisait. Elle dit qu'elle travaillait, qu'elle avait même l'intention de se marier. Elle dit: "C'est mon fiancé." "On a l'intention de se marier à l'été." J'ai dit: "C'est une belle affaire. Si t'as besoin de mes services, je ne reste pas loin, St-Lambert, de l'autre côté. Si je peux te rendre service." Je me doutais qu'elle pouvait avoir besoin de mes services, étant donné qu'elle était assez jeune. Je lui ai laissé ma carte, je lui ai dit: "Tu m'appelleras, je pourrai vous recevoir, j'ai un bureau privé à St-Lambert." Je lui ai laissé ma carte. Durant la semaine sainte, elle m'a appelé et m'a dit: "Pourriez-vous me recevoir?"

Q. La semaine sainte de quelle année?

R. 1964. J'ai dit: "Durant la semaine sainte c'est assez difficile. Si tu pouvais venir le jour je pourrais te recevoir, mais le soir, il faut que je confesse à tous les soirs dans une paroisse. Si tu pouvais venir après la semaine sainte, mardi soir, avec ton ami, je vous recevrai volontiers. Viens alentour de sept heures, parce que je dois m'absenter plus tard."

Q. Mardi le 31 mars?

R. Le mardi de Pâques. D'après moi, c'est le mardi de Pâques. Nous autres, on marche toujours d'après notre calendrier liturgique, c'est ça qui nous frappe, nous autres.

Q. Vous vous basez sur le calendrier liturgique pour vous souvenir du 31 mars?

R. C'est ce qui m'a fait rappeler que c'était ce jour-là.

Q. Vous étiez occupé la semaine sainte, la semaine précédente?

R. Tous les soirs j'allais confesser dans la semaine sainte à la paroisse St-Thomas.

Q. Le 31 mars 1964, vous avez reçu Carmen Marin et Maurice Arbic?

R. Oui.

Q. Voulez-vous me dire quel était précisément le but?

R. Le but ...

Q. Ce n'était pas pour la confesse?

R. Non, ce n'était pas à la confesse.

Q. Quel était le but de la visite?

R. Le but de la visite, c'était de régulariser sa situation. Nécessairement, elle m'avait téléphoné et elle m'avait dit qu'ils vivaient ensemble. Normalement, nous autres, on est pour que les situations se régularisent. J'ai dit: "C'est très bien, je vais t'arranger cela." Elle dit: "Étant donné que les gens savent qu'on est marié, j'aimerais mieux si c'était un mariage privé." J'ai dit: "Je peux t'arranger ça. Je ne peux pas te marier au couvent, parce qu'on n'a pas le droit. Je trouverai une paroisse où je pourrai arranger votre affaire."

Q. C'était une entrevue pour le mariage?

R. Une consultation pour le mariage. Ce n'était pas l'enquête du mariage, il n'y avait pas de papier à signer, rien, parce que c'était tout simplement une consultation.

Q. Vous vous souvenez que cela a duré une heure?

R. À peu près.

Q. C'était après votre souper?

R. Oui, j'ai soupé à bonne heure, j'ai soupé à cinq heures et demie.

Q. Ils sont arrivés?

R. Vers sept heures et quart, entre sept heures et sept heures et quart.

Q. Ils vous auraient quitté environ une heure plus tard?

R. À peu près une heure plus tard.

Q. Avez-vous donné suite à cette première visite au sujet du mariage projeté?

R. Là, j'avais... Elle ne m'avait pas demandé officiellement de m'occuper de leur mariage. Ils m'ont dit: "On verra cela. À l'été, on doit se marier. On verra cela." J'ai dit: "Avertissez-moi un mois à l'avance. Il faut aller à l'église pour faire les arrangements." Ils ont dit: "C'est très bien." Je n'ai pas "rentendu" parler d'eux autres à l'été. Je n'avais pas à courir après eux autres, ils auraient pu changer d'idée. À l'automne, Carmen m'a appelé...

Q. À l'automne de quelle année?

R. À l'automne de 1964, elle m'a appelé et m'a dit qu'elle ne pouvait pas donner suite à son projet de mariage. Elle m'a donné la raison, la raison que son ami avait été arrêté sous prétexte de vol. J'ai dit: "Si tu as besoin de mes services, gêne-toi pas. Je peux aller le voir, Maurice, je l'ai rencontré deux fois, je peux aller le voir à la prison." Elle dit: "Je vais lui en parler. S'il veut vous recevoir, je vous le dirai."

Q. Après ce téléphone de l'automne 1964, avez-vous eu occasion de revoir Maurice Arbic?

R. Il ne m'a pas fait demander tout de suite.

Q. Après ce téléphone?

R. Oui. En 1965, Carmen m'appelait de temps en temps et me disait: "Le procès doit avoir lieu à telle date." Elle me parlait du mois de mars, après c'est remis à l'été. En fin de compte, elle me demande à l'été, elle dit: "Je pense qu'on pourrait se marier même en prison. Maurice pourrait se marier. Pourriez-vous venir le rencontrer, voir l'aumônier, essayer d'intercéder pour qu'on puisse se marier?" J'ai dit: "Très bien." Durant l'été je suis allé rencontrer Maurice Arbic à la prison avec Carmen. J'ai rencontré le remplaçant, le Père Paul André, le remplaçant du Père Michel, que j'ai rencontré au sujet de leur mariage, si c'était possible de se marier en prison. Le Père m'a dit que ça pouvait se faire mais qu'il fallait demander au Procureur général. Il a ajouté: "La politique du département de la justice c'est de ne pas les marier habituellement pendant qu'ils sont en prison." J'ai rencontré, après avoir vu le Père, j'ai rencontré Maurice avec Carmen. Nous avons jasé là-dessus. J'ai dit que ce n'était pas propice de se marier. Je les ai rencontrés à ce moment-là. On a discuté de la question. À la fin du compte ils ont conclu que c'était mieux d'attendre.

Une autre fois après, je suis retourné rendre visite à Maurice, avant les Fêtes de nouveau à la prison. Carmen me téléphonait assez souvent, pour me tenir au courant, pour me dire que le procès devait approcher, devait avoir lieu à telle date ou telle date. J'ai dit: "Si t'as besoin de mes services à cette occasion-là, ne pas vous gêner, je suis prêt à témoigner." Elle dit: "Certain. J'en ai parlé à Maurice, qui m'a dit qu'on aurait recours à vos services à cette occasion-là."

Q. Quand avez-vous appris la première fois que Maurice était accusé de vol?

R. C'est quand Carmen m'a appelé, je ne le savais pas. Elle m'a appelé à l'automne, elle m'a dit qu'elle ne pouvait pas, qu'ils ne pouvaient pas procéder à leur mariage pour la bonne raison que son ami était enfermé et, nécessairement: "Il est accusé de vol." J'ai compris que ce n'était pas pour faire des arrangements de mariage à ce moment-là.

Q. Le mardi de Pâques, c'était le 31 mars 1964?

R. Pour moi, c'est le mardi de Pâques. Le 31 mars, je me rappelle que cette année-là Pâques était le 29 mars. Alors, deux jours après, c'est le 31.

Q. Vous vous souvenez avoir fixé un rendez-vous pour le mardi de Pâques?

R. Oui, le mardi de Pâques.

Me GABRIEL LAPOINTE:

Votre Seigneurie, j'en ai sûrement pour quelques heures à contre-interroger ce témoin. Est-ce qu'on pourrait procéder au contre-interrogatoire de l'abbé Tremblay demain matin.

LA COUR:

Demain matin, Monsieur Tremblay, dix heures et demie.

J'étais bouleversé, ébahi, bouche bée. S'il est vrai qu'un procureur de la couronne n'a pas de cause à gagner ou à perdre, il est tout aussi vrai qu'un procureur de la couronne a la responsabilité de faire le nécessaire pour éviter que des bandits échappent à la justice. Je savais pertinemment que ce témoin-là ne disait pas la vérité, mais comment détruire sa crédibilité. Si Maurice Arbic était au couvent de St-Lambert le 31 mars 1964 entre 7 et 8 heures du soir, il ne pourrait pas avoir participé au vol, comme le prétend Pierre Talon. Si c'est le cas, le juge doit acquitter. C'est la règle de l'alibi.

L'abbé Yves Tremblay n'est ni vu, ni connu par moi ou par les policiers. Sauf, la veille, lors d'un ajournement, dans l'après-midi, j'avais vu un prêtre en "clergyman" assis tout seul sur la banquette qui se trouve juste à la sortie de la salle d'audience. Pensant qu'il pourrait être au mauvais endroit -- il arrive souvent que des témoins se trompent de salle -- et voulant lui rendre service, je m'étais approché de lui et lui avais demandé: "Êtes-vous témoin dans cette cause-ci?" Tout offusqué, il s'était levé et m'avait fait comme réponse: "Qui êtes-vous, vous?" J'avais alors laissé tomber mais j'aurais dû me méfier.

Quelques mois plus tard, le juge Trottier m'avait confié: "Quand j'ai vu le feu dans vos yeux, lorsque vous m'avez demandé la remise au lendemain, j'ai compris que je ne pouvais pas vous la refuser."

Je quitte la salle d'audience et me dirige à mon bureau du troisième étage en compagnie de mes enquêteurs Demonceau et Beaupré. Dans l'ascenseur et dans mon bureau alors que j'enlève ma toge, on n'entend que des jurons, de part et d'autre.

Pour mieux comprendre les relations de l'époque entre le bureau des procureurs de la couronne et la Sûreté de Montréal, le lecteur doit réaliser la distinction qui existe entre la gendarmerie (les policiers en uniforme) et la Sûreté (les détectives). En France, c'est la police judiciaire et n'y accède que celui qui a complété ses études de droit.

Dans chaque poste, il y a bien sûr les gendarmes et ils sont nombreux. Au deuxième étage, quelques policiers en civil -- les détectives -- qui relèvent d'un commandant de division pouvant regrouper plusieurs postes et qui lui relève du quartier général de la Sûreté. Les escouades spécialisées (homicides, vols à main armée, autos volées) relèvent du quartier général. Fait à retenir, ce n'est qu'après dix ou quinze ans dans la gendarmerie qu'un policier peut opter pour la Sûreté après avoir bien sûr, passé les examens appropriés. Après la commission d'un crime important, les gendarmes appelés sur les lieux, confient automatiquement l'enquête aux détectives de leur poste ou à une escouade spécialisée. Le respect et la loyauté qui existaient dans les années 60 entre les substituts du Procureur général et les membres de la Sûreté, à tous les échelons étaient tels, qu'un procureur de la couronne pouvait, au besoin, faire appel à l'état major de la Sûreté et vice versa.

La qualité des membres de l'état major et des escouades spécialisées était rien de moins qu'extraordinaire. Voyons voir:

Comme grand patron, l'assistant-directeur Longpré. Ses adjoints immédiats les inspecteurs Perron (chef du Bureau des enquêtes criminelles) Fitzpatrick, Hobbs et Sénécal. Les capitaines Henri Francoeur, Joseph Bédard, Marc Maurice et Maurice Décarie font aussi partie de l'état-major. Les lieutenants-détectives Jean-Jacques Parizeau, Félix Jean, Claude Desautels, Roland Jodoin et Jean-Louis Langlois dirigent des escouades spécialisées.

Les sergents-détectives qui complètent le groupe et dont le nom me vient à l'esprit (il n'y a pas d'organigramme de disponible) sont: Maurice Demonceau, Jean Beaupré, Réjean Cadieux, Marc Brodeur, Maurice Vadeboncoeur ainsi que les sergents-détectives St-Martin, Laroche, Régimbald, Marc Longpré, Auguste Longpré, Georges Faille, Marcel Allard, Gino Lozeau, Guy Gaudreau, Julien Giguère, Émile Boire, Daniel Crépeau, Raymond Rajotte, André Brosseau et Gilles Morel. Sans oublier les Paznokaitis, Bill Brosseau, Eugène Yvorchuk, Laurent Guertin, Jules Charbonneau, Marcel

Filiatrault, Lucien Caron, Roger Roche, Paul Beaudry, Clophas "Dave" Rochon et surtout le sergent-détective Jean-Guy Beauvais.

J'appelle l'assistant-directeur Perron, je lui raconte ce qui s'est passé, et je lui demande de convoquer pour six heures au plus tard, à mon bureau, ceux que je crois être ses meilleurs hommes: Gaétan St-Martin, Fernand Lozeau, Maurice Vadeboncoeur, Réjean Cadieux.

Quelques cafés, séance de planification, formation d'équipes et partage des tâches. Une chose m'avait frappé dans le témoignage de l'abbé. Alors que les évêques se plaignaient de la pénurie de prêtres, comment expliquer qu'un membre du clergé, âgé de cinquante-quatre ans, soit réduit au poste d'aumônier au couvent de St-Lambert.

Peu après notre arrivée au couvent de St-Lambert, Demonceau, Beaupré et moi nous nous rendons compte que nous sommes sur la bonne piste. De là, à l'évêché de St-Jean, au presbytère de St-Constant et visite chez l'ancien bedeau de cette paroisse qui habite quelque part à Lachine. Pendant ce temps, deux membres d'une autre équipe se rendent au presbytère de Ville Jacques-Cartier. Nous avons rendez-vous dans un restaurant de Lachine pour faire le point. Je rentre chez moi à sept heures du matin, je réveille ma mère en lui demandant de bien vouloir me préparer un gros déjeuner. Je prends ma douche, etc. et je me retrouve au bureau pour préparer mon contre-interrogatoire et à 10 h 30 précises, j'entre en salle d'audience. Un journaliste qui me connaît bien et qui m'a vu le visage, me dit: "J'veux pas manquer ça." Et voici, verbatim, les grandes lignes de cette confrontation.

Bien conscient de ce qui va suivre, je tiens à faire la mise au point que voici:

"Votre Seigneurie, je voudrais tout d'abord consigner au procès-verbal que même si dans le présent cas je devrai être très précis, les questions que je pose ne reflètent en rien l'opinion que je peux avoir du groupe que représente monsieur l'abbé Tremblay."

Ceci a l'effet d'un feu d'artifice. Puis tout revient au calme et je procède:

Q. Alors Monsieur Tremblay, selon votre témoignage, le 31 mars 1964, de 7 h 15 environ du soir jusqu'à 8 h 15, Maurice Arbic en compagnie de Carmen Marin étaient à votre bureau, à vos appartements au 363 Riverside Drive à St-Lambert?

R. C'est ça.

Q. Donc de 1934 à 1941, Monsieur Tremblay, vous avez été professeur au collège St-Jean?

R. Absolument.

Q. En 1941, vous avez été nommé assistant-directeur de la Centrale Catholique à St-Jean?

R. Absolument.

Q. Vous êtes resté là jusqu'en 1949?

R. C'est ça.

Q. En 1949, vous avez été nommé curé de la paroisse Notre-Dame de Grâce à Ville Jacques-Cartier, poste que vous avez occupé jusqu'en 1952?

R. C'est bien ça.

Q. C'est bien ça?

R. C'est bien ça.

Q. Et au début de 1952, de curé que vous étiez à la paroisse Notre-Dame de Grâce à Ville Jacques-Cartier, vous avez été nommé aumônier du collège St-Paul à Varennes?

R. Absolument.

Q. Poste que vous avez occupé jusqu'en 1957 alors que vous avez été nommé curé de St-Constant jusqu'en août 1963?

R. C'est exact.

Q. Et à la fin d'août 1963, vous avez été nommé au pensionnat de St-Lambert ou au couvent de St-Lambert, poste que vous occupez actuellement?

R. C'est ça.

Q. Est-ce qu'il est dans l'ordre, Monsieur l'abbé Tremblay, pour un prêtre curé dans une paroisse, pendant une période de trois ans comme vous l'avez été, à Ville Jacques-Cartier, de 1949 à 1952, de laisser soudainement la cure et d'être nommé aumônier dans une institution comme celle du collège St-Paul à Varennes?

Mᵉ GUY GUÉRIN:

Je m'oppose à la question. La question est celle-ci: "Est-ce qu'il est dans l'ordre."

Mᵉ GABRIEL LAPOINTE:

Alors je change la formule.

Q. Est-ce qu'il y a des raisons spéciales... "interrompu".

Mᵉ GUY GUÉRIN:

Je m'oppose à la question.

LA COUR:

On va aller au point.

Q. Pourquoi d'abord avez-vous été changé de curé à aumônier?

Mᵉ GUY GUÉRIN:

Le témoin ne peut pas témoigner pour ses supérieurs.

LA COUR:

S'il le sait lui, s'il ne le sait pas du tout, "ça été la surprise de ma vie", c'est différent mais s'il dit pour telle chose, on s'en va sur le caractère. Allez-y.

La paroisse Notre-Dame de Grâce à Ville Jacques-Cartier

Q. Alors voulez-vous, Monsieur Tremblay, nous donner les raisons, si vous les connaissez, qui ont motivé votre déplacement de curé à Notre-Dame de Grâce de Ville Jacques-Cartier pour être nommé aumônier au collège St-Paul?

R. C'est l'évêque qui en a décidé ainsi.

Q. C'est l'évêque qui en a décidé ainsi. N'est-il pas exact de dire, Monsieur Tremblay, qu'il y avait des raisons particulières?

R. C'est l'évêque qui en a jugé, je ne le sais pas pour quelles raisons particulières.

Q. Je vous demande vous, Monsieur Tremblay, si à votre connaissance personnelle il est exact de dire qu'il y avait des raisons particulières pour votre déplacement de Ville Jacques-Cartier au collège St-Paul en 1952?

R. Quand un évêque nous déplace, il nous donne pas toujours des raisons, ça peut rester confidentiel.

Q. Alors Monsieur l'abbé, quelles sont à votre connaissance personnelle les raisons qui ont justifié votre déplacement de la cure de Notre-Dame de Grâce à Ville Jacques-Cartier au collège St-Paul de Varennes?

R. Sa Seigneurie, est-ce que je dois répondre à cette question.

LA COUR:

Oui.

R. Question d'administration, c'est tout, question d'administration financière.

Q. Question d'administration financière. Est-il exact Monsieur l'abbé Tremblay que lors de votre départ de la paroisse Notre-Dame de Grâce à Ville Jacques-Cartier, il y avait dans la fabrique un déficit de l'ordre de 20 000 $?

R. C'est absolument faux. Les obligations que j'avais envers la fabrique, je les ai remplies. L'évêque m'a saisi mon salaire pour rembourser l'argent qui était déficitaire.

Q. Quel était le montant du déficit, Monsieur Tremblay?

R. Une couple de 1 000 $ c'est tout.

Q. La paroisse Notre-Dame de Grâce à Ville Jacques-Cartier?

R. Ça c'est des "qu'en dira-t'on".

Q. Ça c'est faux?

R. Absolument faux. Je vous ai dit à peu près ce que je devais et je devais ça à l'Évêché. C'est eux autres qui ont examiné l'administration, ils ont trouvé que c'était pas à leur goût, alors ils ont dit: "Vous êtes mieux de vous ôter de là", ils ont remboursé puis moi j'ai remboursé l'Évêché, ils ont équilibré le budget.

Q. Alors l'Évêché de St-Jean a remboursé la paroisse Notre-Dame de Grâce à Ville Jacques-Cartier et on a exigé que vous remboursiez l'Évêché?

R. Absolument.

Q. Et selon votre témoignage il s'agirait d'une somme de 2 000 $

R. Bien environ, écoutez, c'est en 1951 ça que c'est arrivé, ça fait pas mal longtemps.

La paroisse St-Constant

Q. Passons maintenant, si vous voulez, à votre séjour comme curé à St-Constant. Vous avez été curé à St-Constant, Monsieur l'abbé, de 1957 au mois d'août 1963 vous avez dit tout à l'heure?

R. Oui, j'ai dit ça.

Q. Est-il exact que encore là à St-Constant, vous avez eu des difficultés de fabrique?

R. Oui, voici dans quel sens: je peux préciser ma réponse?

Q. Vous permettez, Votre Seigneurie.

R. Quand est venu le temps de partir de la paroisse, bien j'ai eu à rembourser 6 000 $ et je les rembourse encore. Pourquoi? Parce que j'avais pas fait signer de résolution écrite pour des dépenses d'automobile, en six ans les dépenses d'automobile ça monte!

Q. Est-il exact, Monsieur l'abbé, que le montant du déficit à la fabrique de St-Constant lors de votre départ en août 1963 était de l'ordre de 20 000 $, et que par la suite le montant que vous avez dû rembourser à l'Évêché de St-Jean était de 6 000 $.

R. C'est faux.

Q. Quel est le montant dont l'Évêché de St-Jean exige de vous le remboursement?

R. Ce que je devais à St-Constant, ce que j'avais pris sans autorisation.

Q. Quel est le montant?

R. 6 000 $.

Q. Est-il exact que le salaire que vous recevez actuellement du pensionnat St-Lambert au montant de 225 $ par mois, que le chèque que vous recevez soit endossé immédiatement par vous pour être transmis à l'Évêché de St-Jean?

R. D'abord le montant est faux. Deuxièmement la religieuse envoie directement à St-Jean l'argent, je n'y touche pas, je n'ai pas de salaire.

Q. Pour remplacer la vieille voiture que vous aviez et qui était en train de tomber en ruine et que, malgré ce montant qui vous a été remis, vous ne vous êtes pas acheté de voiture?

R. Je ne me suis pas acheté de voiture, je devais de l'argent, alors j'ai remis de l'argent à qui j'en devais, mes parents, j'avais un billet à la banque, alors j'ai remis ça. Il m'est resté à peu près 500 $ là-dessus. J'ai gardé ma vieille voiture maintenant le don ne m'a pas été fait pour m'acheter une voiture, c'est une fausse interprétation. Je ne sais pas qui vous êtes allé voir pour vos renseignements, ils vous ont mal renseigné. Ma parole vaut la leur.

Q. Alors vous deviez ce moment-là de l'argent à des parents et à des amis aussi?

R. Laissez faire les amis! À la banque! J'ai payé ce que je devais à la banque et ce que je devais à mes parents.

Q. N'est-il pas exact que vous deviez de l'argent également à des confrères prêtres?

R. Oui c'est exact, ça faisait longtemps que je leur devais et puis j'en dois encore.

Q. Pour des montants quand même assez considérables, au-delà de 1 000 $.

R. Pas au-delà.

Q. Près de 1 000 $?

R. Il y en a un à qui je devais 1 000 $.

Q. Est-il exact, Monsieur l'abbé, que pendant que vous étiez curé de St-Constant, vous ne payiez même pas les épiceries, que c'était la vieille ménagère que vous aviez à St-Constant qui payait les épiceries?

R. Oui.

Q. Alors Monsieur l'abbé, je vous exhibe une photographie, voulez-vous l'examiner et nous dire si vous connaissez l'individu que l'on voit sur cette photo-là?

R. Oui je le connais.

Q. Vous le connaissez, quel est son nom?

R. Monsieur Provençal.

Q. Monsieur Émile Provençal?

R. Oui.

Q. Vous le connaissez depuis longtemps?

R. Oui, ça fait plusieurs années.

Q. Depuis combien d'années?

R. Une quinzaine d'années.

Q. Est-ce que vous le connaissiez alors que vous étiez curé à la paroisse Notre-Dame de Grâce à Ville Jacques-Cartier?

R. Oui.

Q. Est-ce que vous le connaissiez alors que vous étiez curé à la paroisse de St-Constant?

R. Bien oui!

Q. Est-il exact, Monsieur Tremblay, que Émile Provençal, alors que vous étiez curé à St-Constant, vous rendait visite à votre presbytère au moins trois fois la semaine?

R. Non, c'est faux.

Q. Combien de fois la semaine?

R. Il venait, il venait une fois de temps en temps, une fois tous les quinze jours.

Q. Quel jour de la semaine venait-il?

R. C'est impossible de préciser, je ne peux pas préciser.

Q. N'est-il pas vrai qu'il venait particulièrement le lundi?

R. Non, je ne peux pas vous dire ça, je ne peux pas affirmer ça.

Q. Pouvez-vous dire à la Cour lorsque... - pouvez-vous dire à la Cour où monsieur Provençal stationnait sa voiture lorsqu'il vous rendait visite à St-Constant?

R. À côté du presbytère.

Q. À côté du presbytère?

R. En général, oui.

Q. N'est-il pas vrai, Monsieur Tremblay, que Émile Provençal stationnait sa voiture beaucoup plus loin que le presbytère ou encore sur le terrain de stationnement de l'église, de l'autre côté à au moins deux cents pieds du presbytère?

R. Ç'arrivait des fois qu'il le stationnait là, sur le terrain de l'église, c'est un terrain de stationnement l'église.

Q. Alors qu'en fait dans l'entrée du presbytère il y avait amplement d'espace pour stationner là?

R. Oui.

Q. Est-il à votre connaissance, Monsieur l'abbé, ou pendant tout le temps que vous connaissiez Émile Provençal et qu'il vous rendait visite, est-il exact ou était-il à votre connaissance que Émile Provençal possédait un dossier judiciaire?

R. Je sais qu'il a eu des démêlés avec la justice mais qu'est-ce qu'il en était, je ne le sais pas, je ne le sais pas du tout.

Q. Ah non, non?

R. Excusez.

Q. Que lors des visites qu'il vous rendait, il avait un casier judiciaire?

R. Pas de réponse.

Q. Même si vous venez de déclarer que vous ne savez pas ce qui en était, je vous pose la question quand même, était-il à votre connaissance qu'Émile Provençal avait des antécédents judiciaires particulièrement en marge de faux prétextes et de fraude?

R. Je ne le sais pas franchement.

Q. Est-il à votre connaissance qu'Émile Provençal avait eu des démêlés avec la justice relativement à des obligations volées?

R. Je ne le sais pas, ça je ne peux pas vous dire, ça je ne le sais pas, franchement.

Q. Est-il exact que les visites d'Émile Provençal au presbytère de St-Constant avaient lieu surtout le soir?

R. Non, généralement c'était le jour.

Q. Généralement c'était le jour?

R. Oui.

Q. Est-il exact de dire que les visites d'Émile Provençal au presbytère de St-Constant étaient toujours de très courte durée?

R. Je ne vois pas, non, parce que des fois il pouvait passer deux, trois heures.

Q. Deux, trois heures?

R. Bien pas régulièrement mais assez souvent il restait une partie de l'après-midi.

Q. Est-il exact que quelque temps avant votre départ de St-Constant les visites d'Émile Provençal aient cessé, les visites d'Émile Provençal au presbytère aient cessé?

R. Non.

Q. Est-il exact qu'à ce moment-là, plutôt que de le recevoir au presbytère, vous avez été le rencontrer sur le boulevard?

R. Ah c'est peut-être arrivé, peut-être une fois, je suis allé à Laprairie le rencontrer, il n'avait pas d'auto, j'étais allé le rencontrer à l'autobus, c'est peut-être arrivé une fois ou deux peut-être.

Q. Est-il exact, Monsieur Tremblay, qu'à plusieurs reprises vous avez reçu d'Émile Provençal des appels téléphoniques la nuit?

R. Non, il ne me dérangeait pas la nuit.

Q. Il ne vous dérangeait pas la nuit?

R. Bah!...

Q. Est-ce que soit à ce moment-là, soit depuis, vous avez eu l'occasion, soit à ce moment-là, soit depuis ou antérieurement, vous avez eu l'occasion de connaître quelques-uns des membres de la famille Provençal?

R. Sa famille je les ai connus ça fait quinze ans.

LA COUR:

Q. Qui?

R. Ça fait 15 ans, à peu près 15 ans que je connais la famille.

Mᵉ GABRIEL LAPOINTE:

Q. Je vous exhibe une photographie d'une femme, voulez-vous l'examiner cette photographie et nous dire si vous la connaissez?

R. Oui, c'est sa fille Monique, je connais tous les membres de la famille, c'est sa fille Monique ça.

Q. Est-il à votre connaissance, Monsieur Tremblay, que Monique Provençal ait récemment témoigné dans une preuve d'alibi, dans une cause de vol à main armée?

R. Non, je ne suis pas au courant de ça, je ne suis pas au courant de ses activités.

Q. Ça vous jurez ça?

R. Bien oui! Absolument.

Q. Je vous exhibe une autre photographie, voulez-vous l'examiner, il s'agit d'un homme cette fois-là, voulez-vous l'examiner cette photographie-là?

R. C'est son garçon Bernard, je les connais tous.

Q. Vous les connaissez tous?

R. Oui.

Q. Est-ce que vous connaissez Roger également?

R. Ah oui, c'est le plus vieux des garçons.

Q. C'est le plus vieux des garçons. Est-ce qu'il est à votre connaissance que Roger Provençal ait un casier judiciaire?

R. Ah bien, je peux répondre, je suis au courant.

Les jeunes filles

Q. Voulez-vous dire à la Cour quel âge avait Monique Provençal quand vous l'avez connue?

R. Bien écoutez…!

Q. La première fois?

R. Il y a à peu près quinze ans, c'est en '51 que je l'ai connue, je ne peux pas vous dire son âge actuellement, je le sais pas, 10 - 12 ans, 13 ans.

Q. 13 ans?

R. Bien j'imagine, quelque chose comme ça.

Q. Elle aurait été de l'âge qu'avait Carmen Marin quand vous l'avez connue?

R. À peu près oui.

Q. Est-ce que vous avez connu également, Monsieur l'abbé, lors de votre séjour à St-Constant une demoiselle Marielle Longtin?

R. Non, pas Marielle Longtin.

Q. Murielle Longtin?

R. Murielle Longtin.

Q. Quel âge avait-elle, Monsieur l'abbé, lorsque vous l'avez connue?

R. Elle devait avoir alentour de 14 ans à peu près.

Q. 13 - 14 ans?

R. Oh à peu près.

Q. Est-ce qu'elle fréquentait le presbytère assidûment?

R. Elle venait régulièrement au vu et su des parents.

Q. Marielle Longtin fréquentait le presbytère de St-Constant autant l'avant-midi que l'après-midi...

R. Bien mettez-en pas trop!

Q. Ou le soir?

R. Mettez-en pas trop là.

Q. Je ne veux pas dire qu'elle passait toute la journée là mais je veux dire...

R. Le samedi elle venait faire un peu de ménage, ça c'est correct, pas tous les samedis. Je vais vous expliquer pourquoi: j'avais une très vieille ménagère qui avait 75 ans, puis elle venait suppléer un peu à ce que la vieille ménagère ne faisait pas.

LA COUR:

Q. Je n'ai pas compris votre réponse?

R. J'avais une très vieille ménagère qui avait 75 ans, alors la demoiselle venait suppléer à l'ouvrage que la vieille ménagère ne faisait pas, alors elle venait le samedi faire un peu de ménage, elle pouvait venir dans la semaine aussi compter de l'argent ou faire des petits travaux.

Q. La question que je vous pose, Monsieur Tremblay, est la suivante: est-ce que lorsque Murielle Longtin vous visitait au presbytère, elle pouvait venir aussi bien le matin que l'après-midi ou le soir?

R. Elle venait, elle pouvait venir l'après-midi, le samedi elle venait l'après-midi pour faire un peu de ménage et sur semaine elle venait le soir parce qu'elle allait à l'école et ensuite elle travaillait.

Q. Et ses visites au presbytère à St-Constant, Monsieur Tremblay, ont duré combien de temps?

R. Oh! 4 ans je pense, trois - quatre ans.

Q. Trois - quatre ans?

R. En tout cas, à peu près.

Les prêts de voiture

Q. Est-ce qu'il vous est arrivé, Monsieur Tremblay, de prêter votre voiture actuelle à monsieur Émile Provençal?

R. Ah oui, absolument.

Q. Fréquemment?

R. Ah oui.

Q. Pendant combien de temps?

R. Oh, écoutez...!

Les avances d'argent

Q. N'est-il pas vrai, Monsieur Tremblay, que les visites que vous faisait Émile Provençal au presbytère de St-Constant n'avaient qu'un seul but, celui de vous réclamer de l'argent?

R. Ça je peux dire, je peux vous avouer que je lui ai avancé de l'argent.

LA COUR:

Q. Qu'est-ce que c'est votre réponse?

R. Je lui ai aidé dans ce sens-là, je lui ai avancé de l'argent quand il a été malade il y a quelques années. On a prétendu qu'il avait le cancer du poumon, je lui ai aidé réellement à mon point de vue je lui ai aidé beaucoup. Maintenant à quoi servait l'argent, ça je ne l'ai jamais su.

Q. Quand vous dites beaucoup, Monsieur Tremblay, est-ce que ça serait sous forme de prestations hebdomadaires?

R. Non pas nécessairement.

Q. Ou si vous voulez prestations bi-hebdomadaires ou toutes les deux semaines?

R. Oui, je lui avançais de l'argent, je peux dire ça.

Q. Vous lui donniez combien d'argent, vous lui remettiez combien d'argent?

R. Ça pouvait varier, 25 $, 30 $, 50 $.

Q. 100 $?

R. Pas nécessairement, peut-être que c'est arrivé de temps en temps, pas nécessairement.

Q. D'une façon régulière?

R. Bien oui ou non, oui ou non on ne peut pas dire d'une façon régulière parce qu'il y a eu des périodes où je ne le voyais pas. On ne peut pas dire d'une façon régulière.

Q. Est-ce qu'il vous a remboursé?

R. Non, je ne peux pas dire ça qu'il m'a remboursé.

Q. Lui avez-vous réclamé déjà des argents qu'il vous devait?

R. Oui certain.

Q. N'est-il pas vrai, Monsieur Tremblay, que tous ces argents que vous remettiez à Émile Provençal lui étaient remis parce que lui Émile Provençal vous avait dit que sa fille Monique avait eu un enfant de vous?

R. Absolument faux, absolument faux! Ah c'est difficile à avaler! (Éclats de rire du témoin)

LA COUR:

Ce n'est pas drôle!

Ce qu'on vient de lire occupe la séance du matin. Le contre-interrogatoire du témoin se poursuit durant toute la séance de l'après-midi. Ce serait abuser de la patience du lecteur que de lui en imposer davantage. Disons tout simplement qu'en fin de journée, j'ai l'impression d'avoir atteint mon but. Ce mauvais prêtre a été démoli. Je ne suis cependant pas au bout de mes peines. S'amène Benoît Lavoie, un co-détenu de Pierre Talon à la prison de Sherbrooke.

Q. Voulez-vous expliquer à la Cour ce qui a provoqué le crachat au visage et le lancer au visage de Pierre Talon d'une tasse d'eau chaude. Qu'est-ce qui vous a porté à faire ça?

R. Voici, Votre Honneur, soit le ou vers le 6 octobre 1964, Pierre Talon est venu me voir au châssis du département où je demeurais et puis il m'a demandé comment que ça allait. J'ai dit que ça allait assez bien. Alors j'ai dit: "Toi, tu t'arranges pas trop bien dans ton affaire?" Il dit: "Non, j'ai pas de choix." J'ai dit: "Qu'est-ce que tu veux dire?" Bien il me dit: "On me tient la charge de Michel Dudas sur la tête, j'ai été obligé de coopérer avec la police sinon j'aurais cette charge-là." J'ai dit: "Au juste, qui est-ce que c'est qui était avec toi? Les noms que tu as mentionnés, c'est des gars que tu connaissais auparavant?" Il me dit: "Non, je les ai vus une couple de fois comme ça. Pour les connaître, je ne les connais pas très bien."

L'alibi de René Leduc

J'occupe dans ce dossier depuis le début de décembre 65. Nous sommes le 15 février 1966. Après le témoignage crachat de Benoît Lavoie, je suis tellement hors de moi que j'ai peine à me contrôler. Je suis incapable de faire face à cette rapace qu'on nous annonce. Je suis probablement en phase de "burn-out", même si cette expression n'existait pas à l'époque. Je fais alors appel à M⁰ Michel Côté[1], l'un des procureurs permanents.

S'amène alors à la barre des témoins, un certain Victor Chiquette qui donne St-Vincent-de-Paul comme adresse. Son témoignage est simpliste: le 31 mars est son anniversaire de naissance. Il "fête ça" chaque année. En 1964, il a célébré sa fête avec René Leduc. Après l'avoir appelé au téléphone, il le rencontre "pour souper" au restaurant Select, rue Ste-Catherine puis c'est une mini-tournée des grands ducs. Ils se rendent d'abord au Café St-Jacques, toujours rue Ste-Catherine, puis au Café Provincial, St-Hubert et Dorchester où là, Chiquette présente René Leduc à une certaine Monique Smith. C'est avec elle que Leduc quitte le Café Provincial en fin de soirée vers 10 heures ou 11 heures. L'alibi couvre bien le jour et l'heure du vol du camion de la poste.

---

(1)Devenu par la suite directeur du contentieux de le Ville de Montréal, puis associé de l'étude Clarkson, Tétreault; aujourd'hui juge à la cour supérieure pour le district judiciaire de Montréal.

En contre-interrogatoire, Mᵉ Côté lui fait admettre ses condamnations antérieures pour vol à main armée, puis précédemment pour vol par effraction et assaut.

Mᵉ Côté lui pose ensuite la question:

Q. Qu'est-ce que vous avez fait après cette libération du Centre Fédéral de Formation?

Et Chiquette de lui répondre avec désinvolture: "J'ai volé."

Et Mᵉ Côté de poursuivre:

Q. Constamment?

R. Assez souvent.

Q. C'était votre seule occupation.

R. Je travaillais un petit peu mais pas beaucoup.

Le témoin Chiquette admet que par la suite, il a rencontré Leduc dans le "trial ward"[1] à Bordeaux et qu'il a été question de son témoignage. Après le 31 mars 1964, il n'a parlé à personne d'autre de l'alibi de René Leduc sauf au procureur de ce dernier Mᵉ Guy Guérin qui est allé lui rendre visite en prison en décembre 1965. Mais sa mémoire est particulièrement défaillante lorsqu'il est question des endroits où il a habité, des numéros de téléphone, des dates d'entrée et de sortie de prison, etc.

Le témoignage de Monique Proietti-Smith

Le défilé de la rapace se poursuit avec l'arrivée de Monique Smith[2]. Cela va de soi, elle confirme la rencontre avec Victor Chiquette et René Leduc au Café Provincial, dans la soirée du 31 mars et son départ de l'établissement avec René Leduc vers les 10 ou 11 heures. Ils ont passé la nuit à son appartement. Elle

---

(1)L'aile des détenus qui attendent leur procès.
(2)On verra plus loin dans "Les Retombées" ce qui est advenu de cette personne.

se souvient que Leduc a vomi et qu'au matin, après le déjeuner, il a quitté les lieux. Et voilà.

Q. Alors, je dois donc comprendre que monsieur Leduc a passé la nuit chez vous?

R. Oui.

Q. Est-ce que vous vous souvenez de l'état de Chiquette et de monsieur Leduc?

R. Ils "sontaient" pas mal en état de boisson.

Q. Est-ce qu'il s'est passé une nuit normale chez vous?

R. Bien c'était normal d'un genre, monsieur Victor, non monsieur René était malade.

Q. Qu'est-ce qu'il a eu monsieur Leduc?

R. Il a vomi.

Pour ce témoin, j'avais demandé à Me Jean-Guy Boilard de bien vouloir me remplacer. Je n'aurais pas pu mieux tomber. Sa toute première question était la suivante:

Q. Depuis quand savez-vous, madame, que vous devez venir témoigner ici?

R. Depuis que j'ai reçu le mandat, depuis que j'ai reçu le subpoena.

Avant de recevoir son subpoena, elle n'avait parlé de cette soirée avec René Leduc à personne sauf à Me Guérin mais voici dans quelles circonstances.

Je pourrais bien sûr vous résumer en quelques lignes l'essentiel de ce témoignage mais ce résumé n'aurait certes pas la saveur des extraits pertinents que voici:

Q. Et qui vous a donné le numéro de téléphone de Mᵉ Guérin?

R. C'est l'opératrice.

Q. Mais quelle opératrice?

R. Au Bell Téléphone.

Q. Et qui vous a mentionné le nom de Mᵉ Guérin?

R. ... (Pas de réponse).

Q. Regardez le juge, madame, qui vous a mentionné le nom de Mᵉ Guérin?

R. Les papiers.

Q. Mais quels papiers?

R. Les journaux, *La Presse*.

Q. Maintenant, est-ce que vous lisiez les journaux tous les jours, à ce moment-là?

R. Non, pas tous les jours, c'est bien rare que je vais prendre les journaux.

Q. Maintenant, quels incidents avez-vous lu, dans *La Presse* où Mᵉ Guérin avait son nom?

R. Je ne me rappelle pas, j'ai vu cela, Mᵉ Guérin quoi, les avocats et les accusés; il y avait pas mal de noms.

Q. Maintenant, est-ce que vous avez vu cet article où l'on mentionnait Mᵉ Guérin?

R. Il y avait les noms des accusés et des avocats.

Q. Et, qu'est-ce que l'on disait?

R. C'est tout ce que j'ai lu, je ne peux pas vous en dire davantage. Et j'ai appelé Mᵉ Guérin.

Q. Tout ce que vous avez lu, en somme, ce sont les titres qui étaient en gros caractères, est-ce cela, madame?

R. ... (Pas de réponse).

Q. Est-ce que vous avez lu en bas du gros caractère?

R. Un peu, pas gros.

Q. Puis, est-ce que vous vous souvenez de ce que vous avez lu?

R. Bien c'était marqué pour le camion, là et puis c'était marqué pour les noms des accusés.

Q. Quel camion?

R. Je ne le sais pas, postal, quelque chose comme ça les noms des accusés et puis le nom des avocats; et j'ai pris une chance et j'ai appelé monsieur Guérin.

Q. Dans cet article-là, est-ce que l'on disait quel client un tel avocat représentait?

R. Je ne me rappelle pas.

Q. Est-ce que vous vous souvenez quel accusé Me Guérin représentait?

R. Je ne pourrais pas vous dire quel accusé il représentait.

Q. Dans l'article que vous avez lu, est-ce que l'on disait quel accusé Me Guérin représentait?

R. Cela fait deux fois que je vous dis que je ne pourrais pas vous dire quel accusé il représentait, je ne le sais pas.

Q. Vous ne le savez pas, bon.

R. Je ne le sais pas; j'ai appelé monsieur Guérin et si cela n'avait pas été lui, j'en aurais appelé un autre, ou des autres.

Q. Maintenant, est-ce que quelqu'un avait attiré votre attention sur Me Guérin en particulier?

R. C'est celui-là que j'ai pris le premier.

Q. C'est un bon choix, est-ce cela?

R. Plus ou moins.

Et davantage:

Q. Et, vous nous dites que vous avez découvert le numéro de Mᵉ Guérin au moyen de l'opératrice du téléphone, est-ce cela?

R. Oui monsieur.

Q. Avant de communiquer avec l'opératrice, est-ce que vous avez consulté le bottin téléphonique?

R. Non, je ne le consulte jamais pour rien.

Q. Dans ce cas-ci, vous vouliez avoir le numéro de téléphone de Mᵉ Guérin?

R. Oui, monsieur.

Q. Est-ce que vous avez consulté le bottin?

R. Non.

Q. À l'opératrice, qu'est-ce que vous lui avez demandé?

R. J'ai demandé le numéro de Mᵉ Guérin et elle me l'a donné?

Q. Est-ce que l'opératrice vous a demandé à quel endroit était situé son bureau?

R. Non, monsieur.

Q. Puis, est-ce qu'elle vous a demandé le prénom de Mᵉ Guérin?

R. Je lui ai dit que je ne le savais pas.

Q. Puis, est-ce que vous avez ajouté d'autre chose?

R. J'ai dit l'avocat Mᵉ Guérin.

Q. Puis?

R. Elle m'a donné le numéro.

Q. Quel numéro a-t-elle donné?

R. Je ne l'ai pas remarqué, je l'ai écrit.

Q. À quel endroit avez-vous écrit cela?

R. Sur un papier.

Q. Est-ce que vous avez encore ce papier en votre possession?

R. Non.

Q. Et là, vous avez composé directement?

R. Oui.

Les enfants-témoins

Pour clore le tout, on présente une espèce de conte de fées où deux enfants, Francine Talon et René Lemay, informent le tribunal que Pierre Talon ne peut pas avoir participé au vol, le 31 mars 1964, puisqu'il était avec eux et qu'il leur a laissé entendre que le lendemain il aurait "plein d'argent". Les deux se souviennent très bien de la date, puisque le lendemain René Lemay aurait collé un poisson d'avril dans le dos de sa petite amie Francine Talon.

Quelle insulte à l'administration de la justice!

Voilà les étapes importantes de ce procès qui a comporté trente-quatre journées d'audition du 1er décembre 65 au 21 février 66 au cours duquel 104 témoins ont été entendus et 148 pièces produites. La cause est reportée au 11 mars pour fins de plaidoirie et après audition de ces valeureuses oraisons, le juge Trottier prend l'affaire en délibéré et il annonce qu'il rendra jugement le 15 avril 1966.

Chapitre 5

Le jugement

Dans un texte de près de cent pages et qui fait encore époque, le juge de première instance fait une revue complète de la jurisprudence pertinente, ensuite il passe en revue les rencontres préparatoires au vol, l'achat ou le vol des camions et de la voiture de marque Oldsmobile, la question des armes et des garages, les circonstances du vol, la réunion après le vol et le partage. Et le juge de préciser:

> "La Cour a tenu à résumer ces faits - d'une façon cependant plutôt abrégée - pour démontrer que le témoin-clé Pierre Talon déclare sans hésitation et tergiversation, d'une façon positive et incontestable, que tous et chacun des accusés ont participé à ce vol du 31 mars 1964, qu'ils l'ont tramé à longue portée, convenu et organisé et qu'après l'avoir exécuté, ils s'en sont tous partagé la prise.

> Il en résulte donc que cette version de Talon étant - il faut le dire - la seule preuve directe apportée par la Couronne, doit être considérée comme indivisible, dans l'opinion de la Cour, et doit nécessairement être acceptée s'il y a lieu dans son entier, car elle fait "bloc" et pour employer l'expression de l'un des savants avocats de la Défense, "si cette preuve ne vaut pas contre l'un des accusés, elle ne peut valoir contre les autres accusés."

Le juge s'attarde alors à considérer les "mérites" du témoin-clé, Pierre Talon:

"Mais qui est ce Pierre Talon, principal témoin de la Couronne qui se prétend lui-même l'un des complices de ce vol?

Je fais, pour le moment, abstraction des preuves circonstancielles qui comme on le sait peuvent légalement confirmer, appuyer, en un mot, corroborer son témoignage et ne m'en rapporte qu'à cet individu.

Je crois qu'il est inutile de surenchérir l'appréciation de Pierre Talon qu'ont faite les procureurs de la Défense et je me contenterai de citer quelques-unes de leurs "louanges", dans le sens le plus péjoratif du mot, à son égard.

Par Me Guy Guérin

"Talon est un témoin taré, souillé voire contaminé et irrécupérable. Il a réussi à accumuler un palmarès de crimes et condamnations on ne peut plus imposant qui en font un criminel de premier rang et un docteur du crime "maxima cum laude".

"Il n'a connu et fréquenté que des criminels. Toute sa vie a été consacrée au crime et apparemment depuis sa tendre jeunesse."

"Bagnard, voleur, fraudeur, cambrioleur, batteur, gouapeur et coureur de guilledou."

"Voleur chevronné, criminel consommé."

Par Me Raymond Daoust

"La déposition du sieur Talon est indigne de croyance, invraisemblable, mensongère et imprégnée de parjures."

"Sa version est fantaisiste et cousue de mensonges. Il s'est empêtré dans ses mensonges, trébuchant sur ses propres contradictions, balbutiant des explications non plausibles pour justifier ses parjures et se conduisant devant la Cour comme un menteur effronté et sans scrupule."

"Il ment sous serment sans le moindre scrupule, sans le moindre remords. Il foule aux pieds la vérité et se moque de nos institutions judiciaires."

"Mentir, c'est une habitude chronique chez lui."

"Son imagination maladive frise le délire. C'est un être dangereux, c'est un dangereux contaminé qui veut pourrir l'administration de la justice."

Par Me Jean Salois

"Il se rie du serment, joue avec la justice et prend les tribunaux pour des pistes de cirque."

"Il a une intelligence à compartiments."

"Les assassins figurent parmi ses amis intimes."

"Son témoignage contradictoire est truffé de parjures."

Il en arrive ensuite à l'examen de cette longue preuve circonstancielle qui peut être lourde de conséquences:

"La Cour se croit justifiée de faire l'examen de cette preuve circonstancielle d'abord en regard du témoignage même de Pierre Talon, lui permettant ainsi d'en vérifier non sa probabilité mais sa véracité et ensuite de se rendre compte si tous les faits mis en preuve, même subséquemment au vol, sont compatibles et accordent au juge la certitude morale le convainquant de la culpabilité des accusés.

Car il faut retenir que la preuve apportée par la Couronne comprend également cette preuve directe, c'est-à-dire la version de Talon, et que la Cour ne peut et ne doit traiter uniquement et isolément chacune des circonstances corroboratives ou non de la déposition de ce complice, mais doit toujours la réunir à la version du complice.

Du reste, la longue jurisprudence déjà citée n'a jamais exclu l'admission du témoignage du complice, même sans autre preuve à l'appui, et la recommandation qu'on y retrouve, bien que non statutairement exigée, n'a pour but que d'apporter au juge une certitude convaincante."

Concernant les rencontres entre Pierre Talon et les accusés:

"La Cour a tenu à rappeler les détails de toutes ces réunions, non pas pour se convaincre indubitablement de l'entière véracité de Talon sur les personnages présents ou sur le sujet de leur "délibération", mais bien pour établir le fait que certaines gens mentionnées par Talon résidaient bien aux endroits indiqués et qu'il s'y trouve au moins un élément de vérité dans sa version.

De plus, par la preuve faite par la suite, on doit ajouter qu'il n'y a aucun doute que tous et chacun se connaissaient bien entre eux."

158

Concernant l'utilisation des camions décrits par Talon et concernant la location des garages dont certains locataires sont identifiés par des témoins indépendants comme étant certains des accusés.

Le juge s'attaque ensuite aux faits survenus après la commission du vol à savoir les communications avec le contact John Lang que celui-ci identifie comme étant les accusés, les arrestations au motel Le Diplomate et au motel International, les dépenses et les argents trouvés en la possession des accusés, la location des coffrets de sûreté ainsi que l'amélioration des conditions de vie de chacun des accusés dans les jours et les semaines qui ont suivi la commission du vol.

Le savant juge en vient ensuite à la question des alibis. Encore là il procède à une revue minutieuse de toute la jurisprudence à ce sujet et affirme ce qui suit:

> "La Cour n'énonce pas ici le principe formel que cet alibi doit nécessairement et obligatoirement être présenté à la première opportunité, mais désire souligner que cet alibi présenté à la dernière heure est grandement affecté dans sa croyance, qu'il est fait alors - pour employer l'expression du juge Mackenzie - "au mépris du principe rationnel", qu'il choque le gros sens commun à l'effet qu'un accusé préfère être détenu pendant une certaine période, sujet à tous les inconvénients que cet emprisonnement entraîne, au lieu de proclamer à haute voix et sans délai l'injustice commise à son égard et permettre ainsi à la Couronne de vérifier dès lors son innocence."

Il ajoute:

"Sûrement, je ne vois pas alors pourquoi un juge seul ou un juge occupant à la fois le rôle d'un juge et d'un jury, comme dans le présent cas, ne devrait pas traiter avec "la plus grande circonspection", avec soupçon même quant à sa véracité, l'alibi où l'accusé se retranche derrière son droit selon lequel il n'est jamais tenu de témoigner."

Il en vient à l'alibi présenté par Wilfrid Leclerc:

"Pourquoi donc Me Duguay n'est-il pas entendu au procès? Pourquoi les parents de madame Leclerc ne le sont-ils pas également? Pourquoi l'accusé ne vient-il pas lui-même affirmer et supporter cet alibi? Il est bien vrai que l'accusé n'est pas obligé de témoigner - je le répète encore - et que le fardeau de la preuve incombe constamment à la Poursuite, mais la Cour a certainement le droit de retenir, comme facteur additionnel de la non-véracité de cet alibi, l'abstention et le silence de l'accusé, tout comme le font d'ailleurs nos tribunaux supérieurs.

Non, le fardeau de cet alibi est imposé ici à cette femme qui connaît d'ailleurs tous les accusés, qui est intéressée on ne peut dire plus, qui est de réputation plus que douteuse et dont l'absence de mémoire volontaire apparaît constamment dans son témoignage, sauf lorsqu'il s'agit de relater et de minuter des faits qui serviront à innocenter son mari Wilfrid Leclerc.

Le Tribunal ne croit donc pas le témoignage de madame Wilfrid Leclerc et partant de là, tient cet alibi comme faux et mensonger."

L'alibi de Maurice Arbic

"Encore ici, comme le souligne avec raison le procureur de la Poursuite, "l'accusé lui-même ne l'a jamais dévoilé à la police ou à un magistrat depuis son arrestation le 7 juillet 1964, bien qu'il ait eu l'occasion de le faire."

Maurice Arbic préfère demeurer en arrière des barreaux et attendre simplement que monsieur Tremblay vienne tout révéler à la Cour le 3 février 1966!

(...)

Je dois dire que la relation de cette supposée visite de Maurice Arbic et Carmen Marin le Mardi saint - ici l'abbé Tremblay se base sur le calendrier liturgique - faite inopinément justement le 31 mars 1964 à l'heure du vol du camion postal, a été tenue par le Tribunal comme fausse et mensongère.

La Cour a eu l'opportunité de voir le témoin longuement, d'apprécier son comportement et de constater, en face des faits compromettants qui lui sont dénoncés par la suite - tels que ses déficits dans les paroisses où il a exercé le ministère de prêtre-curé - avec quel cynisme - tout en esquissant à l'occasion un sourire - il tente de les expliquer, allant jusqu'à inférer que le fait que son salaire soit saisi par l'archevêché pour effectuer un remboursement aux fabriques est une erreur de ses supérieurs et constitue pratiquement une injustice."

L'alibi de René Leduc

"En face de ces blancs de mémoire au sujet des faits survenus quelques semaines avant son témoignage, en plus de sa version différente quant à ses allées et venues le soir du 31 mars 1964 de celle de Chiquette, autre oiseau particulier mais d'un plumage différent, la Cour ne croit pas la version de Monique Smith."

Quant aux témoignages farfelus de Francine Talon et de René Lemay, la Cour s'exprime comme suit:

"La Cour ne croit pas devoir considérer plus avant d'autres aspects de ces deux versions pour en arriver à la conclusion morale que ces deux témoins mentent effrontément."

Enfin, la conclusion fatidique:

"Pour ces raisons, la Cour en est venue à la conclusion que les accusés: MAURICE ARBIC, BENOÎT DOUCET, GASTON LAVOIE, GILLES LEBRUN, WILFRID LECLERC, RENÉ LEDUC, HENRI SAMSON sont coupables sur le deuxième chef d'accusation, aux termes duquel ils sont inculpés, savoir:

"En la Cité de Montréal, dit District, le 31 mars 1964, tant munis d'armes offensives, ont illégalement volé la somme de 1 400 000 $ la propriété de diverses personnes dans laquelle le Ministère des Postes avait un intérêt spécial, commettant par là un acte criminel, contrairement aux dispositions de l'article 288-d du code criminel."

La sentence

M'inspirant de la devise de Churchill: "In defeat, say little; in victory, say less" je quitte rapidement la salle d'audience mais non sans constater la consternation qui règne au sein des accusés et de leurs procureurs qui manifestement nourrissaient une grande confiance dans la "qualité" de leur défense et de leurs alibis.

Les représentations sur sentence sont fixées au 22 avril et après de longues représentations de part et d'autre, le juge Trottier s'exprime comme suit:

"Pour ces raisons, la Cour en vient à la conclusion, comme le soumet l'avocat de la Poursuite, qu'elle doit diviser les accusés en deux groupes. Il y a le groupe Leclerc, Leduc et Samson: Samson a été condamné - s'il avait purgé sa peine entière - aurait été condamné à des peines de pénitencier et de prison pour 86 ans.

Leduc, de son côté, s'il avait purgé toutes les peines mentionnées à son dossier, aurait été condamné pour une période de 49 ans et 6 mois.

Quant à Leclerc, il s'en tire à bon compte; il aurait eu 26 ans et 11 mois. Il s'agit du premier groupe.

Le deuxième groupe: En dépit du fait que la jurisprudence dit qu'on ne doit même pas considérer le délinquant primaire, à plus forte raison, celui qui a un dossier, si infime soit-il, ne doit pas être considéré comme un délinquant primaire, mais plutôt comme un récidiviste, la Cour se rend à la demande de l'avocat de la Poursuite, je ne dirais pas pour la peine suggérée, mais se rend à la demande de l'avocat de la Poursuite de les considérer dans un groupe à part, parce que, de fait, Lebrun n'aurait que dix ans de prison à son crédit: Arbic, deux ans, Lavoie, trois ans et Doucet, deux mois.

Malheureusement, ces quatre derniers personnages, excepté Lebrun et Lavoie, ont décidé d'un commun accord, depuis longtemps, de se joindre aux trois autres récidivistes pour commettre le vol à main armée dont le procès eut lieu devant moi.

Pour ces raisons, la Cour condamne Leclerc, Leduc et Samson à 35 ans de prison.

Arbic, Doucet, Lebrun et Lavoie, à 25 ans de prison."

163

Chapitre 6

Les appels subséquents

Ça ne tarde pas

Dès le 26 avril, les avocats de défense formant regroupement, à savoir messieurs Guy Guérin, Ross Drouin, Dollard Dansereau, Jean Salois (Me Daoust s'étant retiré du dossier) font signifier l'avis d'appel, une requête pour permission d'appeler sur des questions mixtes de faits et de droit ainsi qu'une requête pour autorisation d'en appeler de la sentence.

Sur le fond, on formule à l'endroit du juge de première instance les griefs ci-après décrits:

"a) Le Magistrat ne s'est instruit ni en droit ni en faits sur les théories de la défense et en a fait complètement litière, plus particulièrement quant au vol par une clique dont le témoin principal Pierre Talon faisait partie et quant à une fabrication de preuve pour s'attirer à lui et à ses proches les faveurs des forces dites de l'ordre;

b) Le Magistrat, errant en droit, a faussement admis de l'auto-preuve comme éléments confirmatoires du témoignage du principal témoin à charge, Pierre Talon;

c) Le Magistrat a fait défaut de s'instruire sur les témoignages des témoins de la défense, monsieur Roberts et monsieur Benoît Lavoie, témoignages qu'il a aussi complètement ignorés;

d) Errant en droit, le Magistrat a faussement qualifié d'alibi la preuve présentée par la défense, à l'effet que le principal témoin Talon ne pouvait être présent sur les lieux du crime, le 31 mars 1964;

e) Le Magistrat a faussement retenu contre des co-accusés qui n'avaient présenté aucune défense des alibis présents par d'autres co-accusés;

f) Le Magistrat a faussement rejeté et sans aucune raison le témoignage du témoin de la Couronne Guy Delisle, témoignage pourtant favorable à la défense n'indiquant d'ailleurs aucun motif pour ce faire;

g) Le Ministère Public n'a point démontré hors de tout doute raisonnable la culpabilité des appelants, et, notamment, le jugement de première instance n'a point donné aux appelants le bénéfice du doute soulevé par leur défense;

h) Le jugement de première instance ne retient aucune des contradictions du principal témoin à charge, récidiviste notoire, criminel invétéré qui a reconnu s'être parjuré à plusieurs reprises au sujet des faits en litige;

i) Le jugement de première instance accepte, pour corroborer le témoignage de Pierre Talon ou le confirmer, des faits relatés par Pierre Talon lui-même et d'autres faits qui ne constituent aucunement de la corroboration impliquant les accusés dans la commission du crime ou même de la confirmation de ce témoignage;

j) Le jugement de première instance introduit une preuve dite par inférence qui n'est en définitive qu'une preuve de circonstances, mais il tire de cette preuve par inférence des conclusions insatisfaisantes et non basées sur les règles applicables à la preuve de circonstances;

k) Le Magistrat a admis en preuve le fait de communications d'individus non identifiés avec une tierce personne, alors que cette preuve si légale elle était, ce qui est nié, était hors de proportion avec le préjudice on ne peut plus grave créé aux accusés;

l) Après avoir pourtant répété durant l'enquête que le mode de vie des accusés après le soi-disant crime n'avait aucune espèce d'importance et que de toute façon le Magistrat n'y en attacherait pas, le jugement en fait grand état;

m) Le jugement affirme comme prouvés des faits qui ne l'ont pas été;

n) Le jugement est déraisonnable et n'est pas supporté par la preuve;

o) À part la criminalité et le caractère taré du témoin Talon, le jugement de première instance ne retient aucun des innombrables éléments qui rendent improbables et invraisemblables les affirmations du seul témoin dit oculaire;

p) Le Magistrat retient contre le témoin de la défense, Abbé Yves Tremblay, des faits non prouvés et passe sous silence les faits de nature à expliquer son témoignage;

q) Le juge de première instance agit de même pour les témoins Francine Talon et René Lemay;"

En ce qui a trait à la sentence, les reproches sont les suivants:

"a) La sentence ne tient aucunement compte du fait que les accusés avaient pour la plupart été incarcérés pendant plus d'un an, avant de subir leur procès, et ce pour des causes qui leur étaient complètement étrangères et ne relevaient exclusivement que du Ministère Public;

b) La sentence est disproportionnée avec l'infraction commise et avec les sentences imposées dans des espèces semblables par le passé;

c) La sentence classe arbitrairement les accusés dans deux catégories ne tenant aucun compte des casiers judiciaires et des antécédents variés en nombre et en importance des divers accusés;

d) Les officiers de police avaient remis au Magistrat antérieurement à la sentence les casiers judiciaires des accusés qui comprenaient en outre et illégalement et abusivement des acquittements;

e) Bien plus, le Magistrat n'a pas tenu compte de toutes les représentations des avocats de la défense, puisque suite à ces représentations il y a immédiatement donné lecture d'un jugement dactylographié préparé à l'avance où il ne restait en blanc que le nombre d'années de pénitencier;"

Dans l'intervalle, aux élections générales de juin 1966, les Libéraux de Jean Lesage se font damer le pion par l'Union Nationale alors dirigée par l'honorable Daniel Johnson. Comme nous l'avions indiqué dans la préface au tout début, ceci signifie que tous les procureurs de la couronne à temps partiel au Québec sont remplacés par de nouveaux procureurs. Je suis donc appelé à donner ma démission comme substitut en chef du Procureur général pour le district judiciaire de Montréal à compter du 1er septembre 1966 et je suis remplacé à ce poste par nul autre que mon bon ami Me Jean Bruneau. D'ailleurs, lors d'une réunion subséquente que je convoque avec tous les procureurs permanents de Montréal alors que Mᵉ Bruneau est présent, j'incite tous mes adjoints à bien vouloir faire preuve à l'endroit de Mᵉ Bruneau de la même loyauté que celle dont ils ont fait preuve à mon endroit.

Quelques jours plus tard, le juge en chef de la cour des sessions de la paix, l'honorable Édouard Archambault me convoque à son bureau. Il me dit à peu près ce qui suit:

> "Lapointe, je sais que tu as fait un travail de bénédictin dans le dossier du camion postal. Même si tu n'es plus procureur de la couronne, je suis prêt à recommander au Ministère de la Justice de te confier l'appel dans ce dossier."

J'accepte volontiers et dans les jours qui suivent, je reçois une confirmation écrite de mon mandat au tarif mirobolant de 30 $ l'heure avec un maximum de 7 heures par jour.

La confection du dossier conjoint dans l'affaire du vol du camion de la poste exige plusieurs mois; le texte final comporte quatorze volumes et quelques deux mille sept cents pages. D'ailleurs toutes les citations contenues dans le texte dont le lecteur aura pris connaissance jusqu'à maintenant, proviennent de ce dossier conjoint.

Et voici que le 10 janvier 1968 je reçois signification d'une procédure intitulée: Requête pour produire une nouvelle preuve et faire entendre un témoin à cette fin conformément à l'article 589 du Code criminel. Fait particulièrement significatif, la requête est signée par Mᵉ Jean Salois, Mᵉ Dollard Dansereau et aussi par deux ouvriers de la onzième heure, Mᵉ Jean Bienvenue, ex-procureur chef de la couronne dans le district judiciaire de Québec et par Mᵉ Jacques Bellemare, ex-substitut en chef, adjoint du Procureur général dans le district de Montréal, tous deux de retour à la pratique privée. Les deux allégués significatifs de cette requête sont les suivants:

"Les témoins précités ont tous affirmé sous serment qu'ils avaient installé un dispositif spécial au domicile du constable Gauthier au numéro 7377 boulevard Octogonal, à Ville St-Michel, aux fins d'écouter et d'enregistrer les conversations téléphoniques qui arrivaient ou provenaient du domicile de l'accusé-appelant Wilfrid Leclerc, et qu'en conséquence, ils avaient occupé le logis dudit Gauthier et son épouse du 25 juin 1964 au 4 juillet 1964;

Or, le 9 janvier 1968, le constable Raymond Gauthier de la Police de Montréal déclarait à Me Jean Salois, un des procureurs des appelants, que le 25 juin 1964 et les mois qui suivirent, il résidait avec son épouse au numéro 7377 boulevard Octogonal à Ville St-Michel mais qu'en aucune circonstance au cours de cette année 1964, nulle personne, que ce soit un agent privé ou un agent de la paix ou un membre d'une corporation de services publics n'a jamais installé de dispositif à sa résidence pour enregistrer les conversations téléphoniques ni n'a utilisé en aucune façon son domicile pour aucune fin semblable;"

Le 15 janvier, après audition, un banc de la cour d'appel composé des honorables juges Choquette, Montgomery et Rivard fait droit à la requête et autorise l'interrogatoire du constable Raymond Gauthier et son épouse devant l'honorable juge Montgomery.

L'audition des témoins a lieu le 15 janvier 1968 et le juge Montgomery ordonne que la déposition de l'agent Gauthier soit déposée au dossier de la cour d'appel au moyen d'un dossier conjoint supplémentaire.

Enfin, l'audition au mérite a lieu les 28 et 29 mai 1968 devant un banc composé des honorables juges Tremblay (juge en chef), Pratte, Casey, Rivard et Salvas.

Dans un jugement du 19 décembre 1968 qui comporte principalement l'opinion du juge Pratte et qui comporte vingt-trois pages, l'appel est rejeté. Tous les autres juges partagent l'opinion de l'honorable juge Pratte.

Les principaux motifs sont les suivants:

"La défense a produit deux témoins, la jeune soeur de Talon et son ami, pour établir que Talon n'était pas sur les lieux du crime le soir du 31 mars 1964, mais chez ses parents. Le juge n'a pas cru ces témoins, et je suis d'avis qu'il a eu raison.

De plus, Wilfrid Leclerc, Maurice Arbic et René Leduc ont offert chacun une preuve d'alibi. Pour établir qu'ils n'étaient pas sur les lieux du crime au moment où il avait été commis, Leclerc a fait entendre son épouse, Maurice Arbic, l'abbé Yves Tremblay, et René Leduc, Victor Chiquette, un pensionnaire à St-Vincent-de-Paul, et Monique Smith, une fille publique. Après avoir scruté les dépositions de ces témoins, le premier juge a conclu, avec raison, qu'il ne pouvait y ajouter foi, soulignant en même temps la tardiveté de cette preuve et surtout le fait que ni Leclerc, ni Arbic ni Leduc n'avaient jugé à propos de se faire entendre pour l'appuyer.

Voilà toute la preuve présentée par les accusés.

De tout cela le juge a conclu que la culpabilité des accusés avait été prouvée hors de tout doute raisonnable.

Les appelants se plaignent aussi de ce que le juge n'a tenu aucun compte d'un de leurs moyens de défense, savoir que le vol aurait été commis par une bande dirigée par Jean-Jacques Gagnon. Or, ce prétendu moyen de défense n'est en réalité qu'une simple conjecture tirée de faits qui ne suffisent même pas à en établir la vraisemblance, et c'est sans doute pourquoi il n'en est pas question dans le jugement.

Les appelants font grand état de certaines faveurs dont Talon aurait joui pendant sa détention ainsi que du stratagème auquel le détective Demonceau a eu recours en libérant Talon. Quoi que l'on puisse penser de ces procédés, je n'y vois rien qui permette d'en inférer, comme le prétendent les appelants, que Talon n'a pas dit la vérité.

Je dirais donc que les quatre premières propositions des appelants, telles qu'énoncées dans leur mémoire, sont mal fondées, et sur le tout, que le jugement de culpabilité est parfaitement raisonnable; d'autant plus que les accusés n'ont pas cru devoir se faire entendre pour repousser la preuve faite contre eux.

La cinquième proposition des appelants est que le Procureur général n'a pas consenti par écrit à ce qu'ils soient jugés par un juge sans jury, tel que requis par l'article 475(5) du Code criminel. Or, il est clair que la disposition invoquée par les appelants est édictée en faveur de la Couronne, non pas en faveur des accusés. Ceux-ci ayant obtenu ce qu'ils avaient demandé, je ne vois pas qu'ils puissent s'en plaindre.

Enfin, les appelants se plaignent de ce que le premier juge n'a pas disposé de certaines objections à la preuve. Or, il n'y a rien là qui ait pu influer sur le sort du procès.

Pour toutes ces raisons, je rejetterais l'appel du jugement de culpabilité."

En ce qui a trait à la sentence, l'appel est également rejeté, de la façon lapidaire ci-après décrite:

"Quant aux sentences prononcées contre les appelants, le juge les a fixées après réflexion et après avoir entendu les représentations qui lui ont été faites de part et d'autre; elles sont justes eu égard à la gravité du crime et, en conséquence, je ne les modifierais pas."

Les accusés ne sont pas encore prêts à abandonner la partie et ils décident de présenter une requête pour permission d'appeler à la Cour suprême du Canada. La procédure est signifiée le 6 janvier 1969 mais pour les fins de cet appel, tous les accusés ont retenu les services d'un seul et unique procureur, M° Claude-Armand Sheppard.

L'audition a lieu le 28 mars 1969 devant l'honorable juge Gérald Fauteux juge en chef et les honorables juges Abbott et Pigeon. La Cour rend jugement le même jour et le voici:

> "La motion des appelants pour permission d'appeler à cette Cour du jugement de la Cour du banc de la reine pour la province de Québec, district de Montréal (juridiction d'appel) prononcé le 19 ième jour de décembre 1968 étant venue pour audition ce jour en présence des procureurs des parties,
>
> La Cour, ayant entendu le procureur des appelants, procédant immédiatement à rendre jugement REJETTE ladite motion et REFUSE la permission d'appeler."

"Alea jacta est."

Chapitre 7

Épilogue

Le lecteur ignore toujours le sort réservé à André Paquette. C'est une bien longue affaire mais surtout fascinante. Le 2 mars 1965 vers l'heure du souper, Lucien Rivard qui est détenu dans une affaire d'importation de stupéfiants et un co-détenu du nom d'André Durocher obtiennent la permission d'aller arroser la patinoire extérieure et ce, même s'il fait temps doux. Dans les instants qui suivent, ils réussissent à s'évader et les péripéties de leur évasion de même que leurs allées et venues feront la manchette des journaux du monde entier. Toutes sortes de rumeurs circulent dont celle que Rivard est rendu en Espagne et celle qu'il serait allé retrouver le fameux Georges Lemay, un autre fugitif qui a beaucoup fait parler de lui. En réalité Rivard et Durocher se sont réfugiés dans les Laurentides.

En recoupant différents renseignements plus dignes de foi, les services de police apprennent le 28 mai qu'André Durocher se trouverait au 5855 Christophe Colomb, appartement 2. Les policiers de Montréal s'empressent de se rendre sur les lieux et vers 5 heures et demie, ils procèdent à l'arrestation de Durocher. Le lieutenant Félix Jean de la police de Montréal tantôt assisté par Maurice Demonceau interroge Durocher en plusieurs occasions. Durocher est incapable de donner des précisions sur l'endroit où se trouve Lucien Rivard. Cependant, il révèle que le fameux Freddy Cadieux dont nous avons déjà parlé de même qu'un de ses amis, Sébastien Boucher, seraient vraisemblablement en contact avec lui. Les policiers municipaux sous la direction de l'inspecteur Perron aménagent une table d'écoute sur le téléphone de Sébastien Boucher. Après observation, intervient l'escouade de filature de la G.R.C. et le vendredi 16 juillet à 5 heures de l'après-midi, un nombre considérable d'agents de la G.R.C. et de la S.Q. et la Sûreté de Montréal dont Demonceau et Beaupré procèdent à l'arrestation de Lucien Rivard dans un chalet situé à Woodlands. Rivard est alors en maillot de bain, dans sa cuisine, en train de préparer un sandwich. En apercevant les policiers, il leur dit: "Qu'est-ce que vous avez fait? Moi, ça fait longtemps que je vous attendais."

Les policiers trouvent sur les lieux la somme de 16 515 $ qui vient du vol du camion de la poste. C'est alors qu'on apprend qu'André Paquette, Lucien Rivard et André Durocher avaient vécu ensemble pendant plusieurs semaines après l'évasion de ces deux derniers. Durant cette période, Durocher aurait violé Alice Rioux, compagne d'André Paquette. À ce moment-là, Rivard aurait donné à Durocher instructions de "s'effacer". De retour d'une soirée, André Paquette et sa compagne surprennent Durocher qui a profité de leur absence pour s'emparer du butin provenant du vol du camion postal. Durocher aurait tiré à bout portant sur les deux personnages qu'il aurait enterrés dans le terrain situé à l'arrière du chalet.[1] Voilà pourquoi André Paquette n'a jamais comparu au banc des accusés dans ce célèbre dossier. Durocher pour sa part s'est pendu dans sa cellule au quartier général de la Sûreté du Québec à 360 McGill le 5 mai 1966.

En ce qui a trait à Monica Proietti-Smith devenue plus tard mieux connue sous le nom de Monica La Mitraille ou Machine Gun Molly, elle a été abattue en pleine ville de Montréal, à l'intersection du boulevard Pie IX et de la rue Dickens le 19 septembre 1967 alors qu'elle venait de commettre un vol à main

---

(1)Le certificat de décès sous la signature du coroner porte la date de mai 1965.

Les accusés du vol du camion postal : de gauche à droite, Samson, Leclerc, Leduc, Arbic et la «Grande Andrée» Rollande Ostiguy.

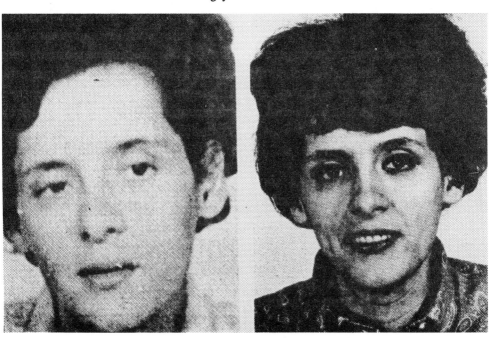

Monique Smith, Monique Tessier, Monique Proietti, sont autant de facettes de «Machine-gun Molly» dont toute la vie s'est déroulée à l'enseigne de la violence.

armée à la Caisse Populaire St-Vital de Montréal-Nord. Elle était en compagnie d'un dénommé Gérald Lelièvre qui avait été libéré du pénitencier de St-Vincent-de-Paul au cours du mois de mars précédent. Elle était soupçonnée d'avoir commis au moins vingt-cinq hold-up. Elle commettait ses vols avec ses deux bébés assis sur la banquette avant de sa voiture. Elle pouvait ainsi traverser tous les barrages policiers. Qui aurait pensé qu'une jeune maman avec deux bébés aurait pu participer à un vol de banque!

Comme je l'ai dit plus tôt: " Quelle rapace!"

À l'occasion, la justice immanente se manifeste.

TABLE DES MATIÈRES

AUTRES OUVRAGES AUX ÉDITIONS SEDES

DOLLARD DANSEREAU

Causes
célèbres
du Québec

SEDES

Causes célèbres

du Québec

240 pages

ISBN 2-921140-04-7

Dollard Dansereau

Préface de Me Gabriel Lapointe

Chaque siècle a ses procès retentissants et ses condamnations non moins retentissantes que certains, avec le temps, qualifient d'erreurs judiciaires. Qu'en est-il exactement des faits...

Dollard Dansereau, juge de la Cour des Sessions de la Paix, nous fait revivre ici chacun des grands procès de l'histoire du Québec. C'est avec la plume du juriste qu'il soulève les erreurs qui ont amené la condamnation de certains accusés.

Chacune des causes rapportées ici a agité le Québec tout entier, soulevé les plus grands débats et animé les plus grandes passions. Ce document s'adresse aux historiens, psychologues, sociologues, criminologues et à tous ceux qui s'intéressent à l'histoire du crime.

« Avocat, Dollard Dansereau a participé aux plus grands procès du XXe siècle au Québec. La cause du camion postal, l'affaire Lajeunesse, l'affaire du Père Noël, pour ne mentionner que celles-là... Quels souvenirs il nous fait revivre. L'essentiel, l'esprit de synthèse, les faits importants; en un coup de spatule, il nous fait connaître les personnages et ne néglige rien de l'éclairage. » (Me Gabriel Lapointe, c.r.)

L'affaire Louis Riel: (1885)

« La condamnation à mort de Riel, sitôt connue dans l'Est du pays, déclenche une querelle d'une violence inouïe entre les Québécois francophones et les Ontariens anglophones, entre les libéraux et les conservateurs... Après des décennies, on peut se demander si les historiens se sont mis d'accord sur l'Affaire Louis Riel... Le matin du 16 novembre, il fait froid. De petits glaçons miroitent au pâle soleil levant. Riel marche vers l'échafaud. Il en gravit les marches sans fléchir et c'est en récitant le Pater Noster qu'il choit dans le vide. Il a donné à ses compatriotes métis et à son pays à la fois sa raison et sa vie. Il avait 41 ans. »

Était-il fou, ne l'était-il pas... Dollard Dansereau ne s'est pas borné à raconter les faits. De nombreux extraits de témoignages de Riel lors de ses procès aident le lecteur à tirer ses propres conclusions.

L'affaire Honoré Mercier: (1891)

« Où l'un des hommes d'État les plus remarquables du Québec a été ruiné à la suite d'une accusation infamante que la justice a tardé trop longtemps à rejeter.

L'affaire du tunnel de la rue Ontario: (1924)

« Le plus spectaculaire et le plus audacieux crime du genre au Canada. Le plus important aussi puisque les sommes volées, croyait-on, excédaient un quart de million de dollars. »

L'affaire de l'abbé Adélard Delorme: (1922)

« Où un prêtre... (accusé du meurtre de son frère) a sans doute tiré avantage du respect que le peuple québécois entier portait durant les années vingt au clergé catholique. »

L'affaire Albert Nogaret: (1930)

« Le 10 juillet 1930, Magloire Caron alerte la police de la disparition de sa fille Simone, âgée de 7 ans. Le cadavre sera retrouvé dans la cave de l'Académie Roussin où travaille le Frère Dosithée, de son nom Albert Nogaret. Condamné à mort à la suite du témoignage d'Antonio Godon, lequel huit ans plus tard, avouera sa propre culpabilité dans l'affaire. »

L'affaire Albert Guay: (1949)

Où un mari pour se défaire de son épouse fait sauter l'avion dans lequel se trouve sa femme. « Le mardi 6 septembre 1949, Guay s'est procuré un billet aller et retour de Québec à Baie Comeau. Il y a fait inscrire le nom de sa femme, Rita Morel, comme voyageuse après avoir assuré la vie de celle-ci pour $10,000.00 et s'être désigné lui-même comme bénéficiaire de cette assurance, advenant la mort accidentelle de Rita Morel durant l'envolée... L'affaire Albert Guay a donné naissance à trois procès qui se sont terminés par trois condamnations à mort. L'analyse des faits en convaincra plusieurs de l'innocence de Marguerite Ruest, pendue en raison de sa prétendue complicité dans la préparation du meurtre... La vindicte populaire n'aurait pas été satisfaite de la seule condamnation d'Albert Guay. Généreux Ruest et Marguerite Pitre le suivirent sur l'échafaud... En l'espèce, le jury s'est peut-être laissé influencer par son indignation devant un crime aussi odieux. »

L'affaire Wilbert Coffin: (1953)

« Wilbert Coffin a été pendu à Montréal le 10 février 1956... Combien de juristes et combien de journalistes se sont penchés sur l'affaire Wilbert Coffin! Il en est qui s'interrogent encore sur le verdict de culpabilité contre lui. »

L'Autre femme

247 pages

ISBN 2-921140-01-2

Hélène Sévigny

Dans ce livre, Hélène Sévigny raconte l'histoire des couples que sa profession d'avocate lui a permis de rencontrer. Il ne suffisait pas de décrire la maîtresse pour comprendre les angoisses ressenties et les injustices subies à cause d'elle ou dont elle a à souffrir. Il fallait aussi parler de la séparation, de la réconciliation, du départ des enfants, des confidences aux amis.

• L'Autre femme est le livre qu'il faut lire et relire... C'est un livre lucide dont la logique pourra réveiller plusieurs femmes qui seraient tentées par une liaison.

Doris Hamel, Le Nouvelliste

• Parce que le sujet passionne autant que la façon dont il a été traité... L'auteur laisse filtrer une philosophie apaisante sur ces petits mondes en colère.

Madeleine Dubuc, La Presse

• Tant pis pour les belles! «L'Autre femme» est farci d'affaires saisissantes qui font que ce livre, plein de rebondissements, se dévore comme un roman.

Martine Charrier, Clin d'œil

• Il n'est pas nécessaire de soupçonner son conjoint d'infidélité pour relever plusieurs points plus qu'intéressants dans L'Autre femme.

Serge Chaillé, Télé-Radiomonde

• Hélène Sévigny ne s'adresse ni aux autruches ni à ceux qui veulent être gagnants à tout prix, mais à ceux qui veulent se chercher, se trouver des défauts et se dépasser.

Pierrette Roy, La Tribune

• Le livre d'Hélène Sévigny intéressera tout un chacun... Hélène Sévigny est une femme de feu... Il en faut actuellement pour bouleverser les obligations dans le vent qui deviennent presque des lois.

Alain Antoine, La Dernière Heure(Belgique)

• Avant de s'engager dans la grande aventure du mariage, en se disant que si ça ne marche pas, il sera toujours possible de lancer quelques coups de canif dans le contrat, les hommes auraient intérêt à lire une excellente étude: L'Autre femme.

Mina et André Guillois, Le Hérisson(France)

• Pour toute épouse, le danger numéro un, c'est «L'Autre femme». Pour exorciser cette menace, il y a des erreurs à ne pas commettre. C'est ce que vous explique avec talent et humour Hélène Sévigny, avocate québécoise.

Sylvie Bonin, Madame Figaro(Paris)

• Cette avocate a patiemment recueilli autour d'elle les couples qui se font et se défont... De tout cela est né un livre vérité: L'Autre femme.

Christine Simon, Le Soir(Belgique)

• Tragique parce que trop vrai, séduisant parce que très intime...

Nathalie Coucke, Livres d'ailleurs(Belgique)

HÉLÈNE SÉVIGNY

L U I

SEDES

Hélène Sévigny

LUI

240 p., 19.95 $

ISBN 2-921140-05-5

«La plupart des grands hommes ont laissé comme souvenir des histoires de femmes. Qu'il s'agisse des escapades de Louis XV dans le Parc aux Cerfs ou des nocturnes de Napoléon dans l'Allée des Veuves, on ne se rappelle plus très bien leur politique ni leur ambition véritable, mais on se rappelle bien aisément le nom de leurs faiblesses.»

En ce temps-là, dit-on, l'homme était roi!

«L'homme n'a rien vu venir de la fin de son règne, trop heureux de profiter des joies du moment. Qu'eût-il pu vouloir de mieux...

Puis, un beau jour, ses faiblesses se sont retournées contre lui, au point que d'agresseur il est devenu victime. Il a laissé courir les choses et le voilà maintenant en face d'une femme qu'il ne comprend pas. Elle le provoque pour le plaisir de le laisser choir comme pour mieux lui montrer qu'il ne règne plus.»

Hélène Sévigny, avocate et auteure de plusieurs essais et romans, nous offre enfin la version masculine de son best-seller, *L'AUTRE FEMME*. Ce livre suscite des réflexions, des questions sur soi, sur l'autre; un ouvrage qui par son style toujours vivant, se déguste et se dévore comme un roman.

•«Quand elle nous pince ou nous envoie des vérités difficiles à avaler, elle s'inclut dans les coupables. On est habitué aux livres qui donnent des recettes de bonheur. Celui-ci n'en donne pas et c'est tant mieux... Il fait l'effet d'une bonne discussion qui sonne les cloches... Pas toujours très confortable mais très utile... Bref, c'est troublant.»

Valérie Letarte, CKVL

•Un vrai régal! Écrit de façon merveilleuse... ce livre ne s'adresse pas seulement à lui. Malgré l'humour qui est toujours présent, il s'y trouve des réflexions extrêmement profondes et sérieuses. Il y a longtemps que je ne suis tombée sur un aussi bon livre... Il faut absolument avoir ce livre dans sa bibliothèque.

Maria Léa, CKBS

•Hélène Sévigny a une verve peu ordinaire, s'exprime avec facilité et raconte des choses passionnantes, aussi étonnantes fussent-elles souvent... Il faut lire le chapitre: «Mourrons-nous niaiseuses ou béatifiées» pour se rendre compte jusqu'où peuvent aller le mensonge d'un homme et le besoin viscéral de la femme de croire en lui... Hélène Sévigny ne mène aucune croisade, elle est romancière et essayiste.

André Gaudreault, Le Nouvelliste

•Pauvre prince charmant, il en prend pour son rhume, dans ce portrait parfois implacable mais combien réaliste que dressse l'avocate... elle a choisi l'écriture comme moyen d'ouvrir les yeux à ses hommes et ses femmes qui ne se reconnaissent plus.

Madeleine Pion, Le Courrier

•J'ai toujours suivi avec beaucoup d'intérêt les différentes interventions d'Hélène Sévigny à la télévision et j'ai noté qu'elle ne manque nullement de verve et d'argument et quand j'ai lu son livre Lui, j'ai retrouvé son style fort coloré et direct.

Huguette Masse-Marquis, CHRC (Québec)

Hélène Sévigny

La Fille du magistrat

ROMAN

SEDES

La Fille du magistrat

552 pages

ISBN 2-921140-00-4

Hélène Sévigny

(1924) L'histoire commence par une grande fête que donne Félicia Saint-Martin, la fille du magistrat, pour célébrer le retour de sa meilleure amie... La suite nous amène dans le monde des magistrats et nous fait découvrir des êtres profondément attachants, des personnages d'une grande tendresse trahis par leurs instincts, leurs ambitions et le plus souvent par eux-mêmes.

Écrit avec verve et finesse, ce roman nous fait revivre l'atmosphère des clubs privés à la mode, des maisons closes et leur secret, des juges et leurs faiblessses!

• Une excellente romancière nous est révélée... Avec son premier roman « La Fille du magistrat », Hélène Sévigny entre maintenant par la grande porte dans le monde littéraire.

André Gaudreault, Le Nouvelliste

• Écrit avec verve et humour, avec des rebondissements qui nous laissent bouche bée... l'action est rapide et les dialogues tout à fait savoureux. Une fois que l'on prend « La Fille du magistrat », il faut un effort de volonté pour poser ce roman qui nous tient du début à la fin. Des phrases courtes et précises, des répliques spirituelles en abondance. Si vous n'avez qu'un livre à lire cette année, procurez-vous « La Fille du magistrat » d'Hélène Sévigny. C'est un des meilleurs conseils littéraires que je puisse vous donner... Elle écrit avec un clin d'œil de l'âme, avec un esprit ouvert et l'humour comme catalyseur... Ce livre plaît autant aux hommes qu'aux femmes.

Jean Brousseau, Allo Vedettes

• Presque uniquement constitué de dialogues et l'auteur y manifeste ses meilleures qualités. Peut-être est-ce dans la pratique du droit qu'Hélène Sévigny a développé ce sens de la répartie à feu roulant.

Jean-Roch Boivin, Le Devoir

• Avec la publication de son roman, « La Fille du magistrat », Hélène Sévigny paye un voyage à ses lecteurs... Elle a situé ses nombreuses et rebondissantes intrigues en plein cœur des années 20, dans le Montréal des beaux et riches manoirs de ce qu'elle appelle le « English Square ». Elle a exigé d'elle-même, ce qu'elle demande de tout bon roman: payer un voyage à ses lecteurs.

Pierrette Roy, La Tribune

• Hélène Sévigny nous offre maintenant un roman véritable... Elle glisse avec aisance de la robe à la plume, de l'étude de dossiers aux feuilles de manuscrits. Hélène Sévigny, une femme enthousiaste, convaincue et bien documentée sur le sujet qui constitue le cadre de ce premier roman: la vie époustouflante des milieux d'avocats, avec ses manigances de couloir, ses luttes d'influence, ses intrigues... Des manèges amoureux se croisent et s'interpellent tout au long de ces 552 pages... Ce qui en fait un livre dynamique, facile d'accès et simple à lire.

Nane Couzier, 1e Édition

• Félicia Saint-Martin, c'est la Scarlett O'Hara québécoise dont le fougueux tempérament nous dévoile la femme des années 20 sous un jour peu habituel. Vivement la suite!

Manon Trépanier, CHAA-FM

• L'Auteure n'a pas eu peur de décrire le milieu de la magistrature... des juges qui vont voir des prostituées, des avocats très arrivistes... Le plus attachant demeure encore Antonio, le vilain séducteur, que je ne suis pas loin de trouver le plus sympathique de tous.

Carmen Montessuit, Le Journal de Montréal

Le Dernier procès

284 pages

ISBN 2-921140-02-0

Hélène Sévigny

LE DERNIER PROCÈS nous montre les coups bas que n'hésitent pas à se donner... magistrats et plaideurs!

De tous ces jeux de coulisse, le plus grave sera celui qui impliquera le juge Froidebise dans un scandale... de femmes!

Qui est à l'origine de ce complot qui le forcera à démissionner et pour quel motif? Quant à Blackwell, qui lui a envoyé des professionnels du poker? De son côté, de Brabant cherche à comprendre le pourquoi d'une certaine lettre signée Félicia.

LA FILLE DU MAGISTRAT nous montrait les états d'âme des personnages, leurs ambitions secrètes, leurs passions, leurs amours. *LE DERNIER PROCÈS* nous montre la ruse, la perfidie, la malice de ceux qu'on ne soupçonne pas.

• Comme le titre l'indique, l'action se déroule dans le milieu de la magistrature qu'elle égratigne parfois pas mal!

Carmen Montessuit, Le Journal de Montréal

• ... Il faut reconnaître que si elle égratigne au passage, elle le fait avec un humour efficace et contagieux. Son essai l'*AUTRE FEMME*, un immense succès de librairie portant sur le phénomène de la maîtresse, l'a fait découvrir, avec éclat, au monde de la littérature. Puis, avec *LA FILLE DU MAGISTRAT*, son premier roman, cette avocate mettait à jour une certaine face cachée des gens de justice. La voilà qui se commet à nouveau avec la suite de ce roman, *LE DERNIER PROCÈS*, et qui pousse encore plus loin dans cette voie.

Elle le concède, ses personnages sont méchants, très méchants même, et sont placés, dans son deuxième roman tout particulièrement, dans des situations dont la gravité ne fait qu'empirer...

Pierrette Roy, La Tribune

• Ses personnages, Hélène Sévigny les a puisés dans son expérience d'avocate, surtout dans des causes de divorce et des histoires de famille. Voilà pourquoi on y trouve beaucoup d'hommes de loi, mais aussi des gens « pognés »... Hélène Sévigny travaille dans la vraie pâte humaine, voilà pourquoi ses romans sont si vrais.

André Gaudreault, Le Nouvelliste

Hélène Sévigny

Passion pour alibi

Roman

ÉDITIONS SEDES

Passion pour alibi

240 pages

ISBN 2-921140-15-2

Hélène Sévigny

Passion pour alibi:

Passion pour alibi, c'est l'histoire de trois femmes vivant à l'époque bienheureuse où les femmes étaient fidèles, sinon elles étaient montrées du doigt. En ce temps-là, elles rêvaient... mais n'osaient pas. Elles ignoraient ou taisaient parfois leurs désirs jusqu'au jour où, vieillissantes et ne pouvant plus revenir en arrière, elles se demandaient: «Ce jour-là, est-ce que j'aurais dû...?» Elles regrettaient alors ce beau jour de printemps où, près de la véranda ou d'un chêne, elles résistaient tout en ne résistant pas... voulaient tout en ne voulant pas. Que serait-il alors advenu de leur existence si au lieu de dire «non», elles avaient dit «oui» ou «pourquoi pas»... Mais en ce temps-là, les femmes étaient fidèles... en rêvant quelques fois d'un «Je t'aime» qui venait parfois d'ailleurs!

Martin GRANGE

Requiem

sur

la ville

Roman

ÉDITIONS SEDES

REQUIEM SUR LA VILLE
Roman
112 PAGES
14,95 $
ISBN 2-921140-11-X

Martin GRANGE

Requiem sur la ville:

Martin Lapalme grandit à Verdun où il rêve d'écrire un jour le plus grand roman canadien de tous les temps. Repoussé par Fabie, interné pour le meurtre de... «Raspoutine», l'auteur nous confie dans une série de tableaux au charme triste et nostalgique, les événements et les rencontres qui ont marqué son destin.

REQUIEM SUR LA VILLE est à la fois écrit avec lucidité, fragilité et tendresse. Et c'est cette alternance de ton qui en fait tout son charme. Comme si l'auteur subitement regrettait de nous avoir livré ses émotions, il s'empresse de nous ramener sur terre par une réflexion réaliste et tout à fait inattendue.

BORISLAV NICOLOV

Meurtre

rue

Tarbes

ROMAN

SEDES

Borislav Nicolov

MEURTRE RUE TARBES

192 p., 16.95 $

ISBN 2-921140-03-9

Rue Tarbes, un meurtre est commis. Claude Loveux, professeur d'histoire, tue comme ça, sans raison apparente, un homme qui s'apprête à secourir sa fille. À quel mobile, conscient ou inconscient, pouvait obéir Loveux en commettant ce crime?

•Un roman tout à fait digne de figurer dans la collection Sueurs froides/ Denoël... Nous sommes loin du roman de gare, rapide et vite fait. Là, la demi-teinte est de rigueur et l'écriture enveloppée: style «jardin secret».
C. Franqueville, Calades (France)

•Nicolov brocarde joyeusement cette bourgeoisie de province aussi bien pensante que médisante, et pour qui la justice est à géométrie variable.
Gilbert Grand, La Presse

•Plume alerte, style direct, intrigue menée habilement, entraînent, presque malgré lui, le lecteur fasciné par ce monde insolite qu'il découvre, presque en voyeur, au fil des sept chapitres, mettant en vedette tour à tour un des personnages, qui se fait alors narrateur.

La Justice avec un grand J, la police en général, les journalistes, l'école, bref les institutions de la société occidentale du XXe siècle trouvent peu de grâce aux yeux de l'écrivain, qui les écorche allègrement au passage.
Madeleine Pion, Le Courrier

•Avec Meurtre rue Tarbes, Borislav Nicolov a écrit un roman qui sort de l'ordinaire, dans la mesure où l'on connaît la victime et le coupable dès la première page. Ce qui n'empêche pas le lecteur de s'accrocher à l'intrigue et de vouloir découvrir les motifs. En fait, c'est là où réside le mystère.(...)Et son flash était bon car la fin est assez surprenante.
Carmen Montessuit, Le Journal de Montréal.

André-Paul DUCHATEAU

Jusqu'à ce que
mort s'ensuive

15 nouvelles policières

ÉDITIONS SEDES

Jusqu'à ce que mort s'ensuive
15 nouvelles policières
256 PAGES
19,95 $

ISBN 2-921140-08-X

André-Paul DUCHATEAU

JUSQU'À CE QUE MORT S'ENSUIVE...

• « *JUSQU'A CE QUE MORT S'ENSUIVE...* » réunit quinze nouvelles fort malicieuses, dans lesquelles la machination est reine. L'auteur déverrouille la chambre close, nous entraîne dans le futur pour nous présenter une hilarante école de détectives, bref, il s'amuse et nous amuse sans jamais cesser de nous surprendre. La preuve? L'un des récits les plus courts, intitulé LE PIRE DES SORTS: digne d'une anthologie de l'humour noir!

Michel Lebrun (Actualité du Polar, France)

• Dans quel puits sans fond cet homme prolifique puise-t-il l'inspiration? Il y a dans ces quinze nouvelles, comme dans ses romans ou ses scénarios de bande dessinée, une telle invention, une telle variété d'ambiance qu'on voyage d'un milieu à un autre dans le temps et l'espace, passant de l'amusement à l'horreur pour toujours revenir à l'admiration.

Marie-Claire Bourdoux (Le Soir, Belgique)

Achevé d'imprimer en Octobre 1991
sur les presses de Imprico,
division de Imprimeries Québécor Inc.
Ville Mont-Royal, Qué.